Andrée Sabran #536

ALFIE
le chat du bonheur

Rachel Wells

ALFIE
le chat du bonheur

Traduit de l'anglais
par Jocelyne Barsse

ÉDITIONS FRANCE LOISIRS

Édition du Club France Loisirs,
avec l'autorisation de City Editions.

Éditions France Loisirs,
123, boulevard de Grenelle, Paris
www.franceloisirs.com

Publié en Grande-Bretagne par HarperCollins
sous le titre *Alfie, The Doorstep Cat*

ISBN : 978-2-298-11102-6

À Ginger, mon premier chat que je promenais en laisse et qui m'a laissée le traiter comme une poupée. Tu es parti depuis longtemps, mais je ne t'ai jamais oublié.

1

— On ne va pas mettre très longtemps à vider la maison, a-t-elle dit.

— Je te trouve bien optimiste, Linda. Regarde tout le bazar que ta mère a accumulé, a répondu Jeremy.

— Tu es injuste ! Elle a de la jolie vaisselle en porcelaine et, on ne sait jamais, il y a peut-être quelques objets de valeur parmi toutes ses affaires.

Je faisais semblant de dormir, mais je dressais les oreilles pour ne pas perdre une miette de leur conversation. J'essayais en même temps d'empêcher ma queue de bouger dans tous les sens, car je ne voulais pas qu'elle trahisse mon agitation.

J'étais blotti sur le fauteuil préféré de Margaret (ou plutôt sur le fauteuil qu'elle préférait quand elle était encore de ce monde) et j'écoutais sa fille et son gendre parler du sort de la maison et peut-être évoquer mon avenir.

Les derniers jours avaient été très éprouvants pour moi, car je ne saisissais pas complètement ce qui s'était passé. Ce que je comprenais parfaitement, pourtant, en les écoutant et en m'efforçant de ne pas pleurer, c'était que ma vie ne serait plus jamais comme avant.

— Tu parles ! En tout cas, nous devrions appeler un antiquaire pour qu'il se charge de débarrasser la maison. Franchement, je ne veux rien garder. On n'a pas besoin de tout ce bric-à-brac.

Je les ai observés discrètement. Jeremy avait les cheveux gris ; il était grand et grincheux. Je ne l'avais jamais vraiment aimé, mais sa femme, Linda, avait toujours été gentille avec moi.

— J'aimerais bien garder quelques affaires de maman. Elle va tellement me manquer.

Linda s'est mise à pleurer. J'avais envie de miauler à l'unisson, mais je suis resté silencieux.

— Je sais, ma chérie, a dit Jeremy d'une voix plus douce. Mais nous ne pouvons pas nous éterniser ici. Maintenant que les obsèques ont eu lieu, il faut songer à mettre la maison en vente et, si nous trouvons quelqu'un pour la débarrasser, nous pourrons partir dans quelques jours.

— Ça paraît tellement définitif ! Mais tu as raison, bien sûr.

Elle a soupiré.

— Et Alfie ? Qu'est-ce qu'on va faire de lui ?

Je me suis hérissé. C'est ce que j'attendais. Qu'allait-il advenir de moi ?

— Il va falloir que nous le laissions dans un refuge pour animaux.

J'ai senti mes poils se dresser sur mon échine.

— Un refuge pour animaux ? Mais maman l'aimait tellement ! Ça serait vraiment cruel de se débarrasser de lui comme ça.

J'aurais aimé pouvoir lui dire combien j'étais d'accord avec elle : c'était trop cruel.

— Tu sais bien qu'on ne peut pas l'emmener à la

maison ! On a deux chiens, ma chérie. Un chat, c'est pas possible pour nous, tu le sais.

J'étais furieux. Je n'avais pas spécialement envie de partir avec eux, mais il était hors de question que j'atterrisse dans un refuge pour animaux ! Refuge... Mon corps ne pouvait que frémir en entendant ce mot. Quel nom inapproprié pour ce que nous considérions, dans la communauté des chats, comme le « couloir de la mort » ! Il y avait certes quelques chats chanceux à qui on trouvait un nouveau foyer, mais qui sait ce qu'il advenait d'eux ensuite ? Qui pouvait dire que la famille qui les accueillerait les traiterait aussi bien que celle où ils avaient vécu jusqu'alors ? Tous les chats que je connaissais étaient d'accord sur ce point : les refuges étaient des endroits abominables. Et nous savions parfaitement que ceux qui ne trouvaient pas de nouveau foyer étaient condamnés.

Même si je trouvais que j'étais plutôt beau gosse, que j'avais un certain charme, je n'allais certainement pas prendre le risque d'aller dans un refuge.

— Je sais que tu as raison. Les chiens le mangeraient tout cru. Et ils s'occupent très bien des animaux dans ces refuges, aujourd'hui. On lui trouvera peut-être rapidement un nouveau foyer.

Elle a marqué une pause comme si elle retournait encore le problème dans sa tête.

— Non, il faut qu'on avance. Je vais appeler le refuge pour animaux demain matin et un antiquaire du coin. Ensuite, nous pourrons faire venir un agent immobilier, je pense.

Elle semblait plus assurée, maintenant, et j'ai su

que mon sort était scellé ! Il fallait absolument que je fasse quelque chose.

— Ah ! j'aime quand tu raisonnes ainsi ! Je sais que c'est difficile, mais, Linda, ta mère était très âgée et, honnêtement, il fallait s'attendre à ce qu'elle parte un jour.

— Ce n'est pas pour ça que c'est plus facile, non ?

Je me suis bouché les oreilles avec mes pattes. La tête me tournait. Les deux dernières semaines avaient été particulièrement éprouvantes pour moi. J'avais perdu ma maîtresse, le seul être humain que j'aie vraiment connu. Ma vie était complètement chamboulée, j'avais le cœur brisé, j'étais désespéré et désormais sans domicile… Qu'est-ce qu'un chat comme moi était censé faire dans une telle situation ?

J'étais ce qu'on appelle communément un « chat d'intérieur ». Je ne ressentais pas le besoin de sortir toutes les nuits pour aller chasser, rôder dans le quartier et fréquenter d'autres chats. J'avais aussi de la compagnie, une famille. Mais j'avais tout perdu, et mon cœur de chat était brisé. Pour la première fois, j'étais complètement seul.

J'avais passé pratiquement toute ma vie dans cette petite maison mitoyenne avec ma maîtresse, Margaret. J'avais aussi une sœur chat, qui s'appelait Agnès. En fait, c'était plutôt une tante, car elle était beaucoup plus vieille que moi. Quand Agnès est allée au paradis des chats, il y a un an, j'ai ressenti une douleur indescriptible. J'ai tellement souffert que j'ai eu peur de ne pas m'en remettre. Pourtant, j'avais Margaret, qui m'aimait beaucoup, et nous nous sommes serré les coudes dans notre chagrin. Nous adorions tous les deux Agnès et elle nous manquait terriblement. Nous étions unis dans notre peine.

Toutefois, j'avais appris récemment combien la vie pouvait être cruelle, parfois. Un jour, il y a deux semaines, Margaret ne s'est pas levée de son lit. Je n'ai pas compris ce qui se passait et je ne savais pas quoi faire. Je me suis allongé à côté d'elle et j'ai miaulé le plus fort possible. Heureusement, une infirmière qui passait voir Margaret une fois par semaine devait justement venir ce jour-là. Quand j'ai entendu la sonnette, j'ai quitté à contrecœur Margaret et je suis sorti de la maison par la chatière.

— Oh mon Dieu, qu'est-ce qui se passe ? a demandé l'infirmière quand elle m'a entendu miauler de toutes mes forces. Tandis qu'elle appuyait de nouveau sur la sonnette, je lui ai donné de petits coups de patte, doucement mais avec insistance, pour lui faire comprendre que quelque chose ne tournait pas rond. Elle a pris le double de la clé que Margaret lui avait donné et est entrée dans la maison. C'est là qu'elle a trouvé le corps sans vie de Margaret. Je suis resté à côté de ma maîtresse, conscient que je l'avais perdue à tout jamais, pendant que l'infirmière téléphonait. Quelque temps après, des hommes sont venus et ont emporté Margaret. Je n'ai pas arrêté de miauler. Ils ne m'ont pas laissé partir avec Margaret et c'est alors que j'ai compris que ma vie ne serait plus jamais comme avant. La famille de Margaret a été informée et j'ai continué à miauler. J'ai tellement miaulé qu'à la fin, je n'avais plus de voix.

Tandis que Jeremy et Linda poursuivaient leur discussion, j'ai sauté discrètement du fauteuil et j'ai quitté la maison. J'ai rôdé un peu dans mon quartier, à la recherche d'autres matous à qui j'aurais pu demander conseil, mais, comme c'était l'heure du goûter, il n'y avait pas un chat dehors ! Je connaissais une vieille chatte, très gentille, appelée Mavis, qui vivait en bas de la rue. J'ai décidé d'aller la voir. Je me suis assis devant sa chatière et j'ai miaulé de toutes mes forces.

Elle savait que Margaret était morte. Elle avait vu les hommes transporter son corps et m'avait trouvé peu de temps après, dévasté par la perte de ma maîtresse. Elle était très maternelle, un peu comme Agnès, et elle s'était occupée de moi. Elle m'avait laissé miauler tout mon soûl. Elle était restée auprès de moi, partageant sa nourriture et son lait avec moi, jusqu'à l'arrivée de Linda et Jeremy.

Dès qu'elle a entendu mon appel, elle est sortie par la chatière et je lui ai expliqué la situation.

— Ils ne peuvent pas t'emmener ? a-t-elle demandé en me regardant avec de grands yeux tristes.

— Non, ils disent qu'ils ont des chiens. Je ne veux pas vivre avec des chiens, de toute façon.

Nous avons tous deux frissonné en songeant à cette éventualité.

— Je te comprends, a-t-elle dit.

— Je ne sais pas quoi faire, ai-je gémi en m'efforçant de ne pas me remettre à pleurer. Mavis s'est blottie contre moi. Ça ne faisait pas très longtemps que nous étions proches, mais c'était une chatte bienveillante et j'étais heureux de l'avoir pour amie.

— Alfie, ne les laisse pas t'emmener dans un refuge pour animaux, a-t-elle dit. J'aimerais pouvoir m'occuper de toi, mais c'est au-dessus de mes forces, j'en ai peur. Je suis vieille et fatiguée, et ma maîtresse est à peine plus jeune que Margaret. Tu vas devoir te montrer courageux et te trouver une nouvelle famille.

Elle a frotté affectueusement son cou contre le mien.

— Mais comment faire ? ai-je demandé.

Je ne m'étais jamais senti aussi perdu ; je n'avais jamais eu aussi peur.

— Si seulement j'avais la réponse… Pense à ce que tu as appris ces dernières semaines, combien la vie peut être fragile, et sois fort.

Nous avons frotté nos museaux l'un contre l'autre, et j'ai su qu'il était temps pour moi de partir. Je suis allé une dernière fois dans la maison de Margaret pour m'imprégner de chaque détail avant mon départ. Je voulais, pour l'emporter, graver l'image de cette demeure dans ma mémoire. J'ai regardé les bibelots de Margaret, ses « trésors », comme elle les appelait.

J'ai regardé les photos sur les murs ; elles étaient si familières. J'ai regardé le tapis, usé à l'endroit où je l'avais gratté, quand j'étais encore trop jeune pour me rendre compte de mes bêtises. Cette maison était tout pour moi. Je faisais un peu partie des meubles. Et maintenant, je n'avais aucune idée de ce qui m'attendait.

Je n'avais pas franchement faim, mais je me suis

forcé à manger la nourriture que Linda avait laissée pour moi (après tout, j'ignorais quand j'aurais la possibilité de manger de nouveau) et j'ai regardé une dernière fois la maison qui avait été la mienne, dans laquelle j'avais toujours été au chaud et à l'abri. J'ai pensé aux leçons que j'avais apprises. Durant les quatre années que j'avais passées dans cette demeure, j'avais beaucoup appris sur l'amour, mais aussi sur le chagrin que cause la perte d'un être cher.

On s'était occupé de moi ici, mais c'était fini. Je me suis souvenu de l'époque où j'étais arrivé. Je n'étais encore qu'un chaton. Au départ, Agnès me détestait ; elle me considérait comme une menace. Pourtant, petit à petit, j'avais fini par lui faire changer d'avis. J'ai repensé à la façon dont Margaret nous traitait, comme si nous étions les chats les plus importants du monde. J'ai repensé au bonheur que j'avais connu ici. Mais la chance m'avait lâché. Tout en pleurant la seule vie que j'avais connue, j'ai senti instinctivement qu'il me fallait survivre à tout prix, mais je ne savais pas comment. Je m'apprêtais à faire un saut dans l'inconnu.

2

Le cœur brisé, effrayé à l'idée de ne jamais retrouver ce que j'avais perdu, j'ai quitté le seul foyer que j'avais connu. J'ignorais où j'allais, j'ignorais si je serais capable de me débrouiller. Mais je savais qu'il valait mieux que je compte sur moi et sur mes capacités, si réduites fussent-elles, que sur un refuge pour animaux. Je savais aussi qu'un chat comme moi avait besoin d'une maison et d'amour.

Tout en me glissant dans la nuit, mon petit corps tremblant de peur, j'ai essayé de trouver en moi la force nécessaire pour avancer. J'étais certain d'une chose : je ne voulais plus jamais être seul. Il fallait absolument que je trouve une paire de genoux, ou même plusieurs paires, pour m'asseoir dessus. Avec détermination, j'ai rassemblé tout mon courage. J'ai prié pour qu'il ne m'abandonne pas.

Je me suis mis en route, laissant mes sens me guider. Je n'avais pas l'habitude de rôder dans les rues dans la nuit sombre et inhospitalière, mais j'avais une excellente vue et l'ouïe bien aiguisée. Je me répétais sans cesse que tout irait bien. J'essayais d'entendre les voix de Margaret et d'Agnès pour m'encourager pendant que je marchais dans les rues.

La première nuit a été difficile, effrayante et longue. Au clair de lune, j'ai fini par trouver une cabane au fond d'un jardin. Heureusement, car j'avais mal aux pattes et j'étais épuisé. La porte était ouverte et, bien que l'intérieur fût poussiéreux et rempli de toiles d'araignée, je m'en suis accommodé, car j'étais fatigué. Je me suis blotti dans un coin, sur le sol dur et sale, et j'ai réussi à m'endormir.

J'ai été réveillé dans la nuit par un miaulement puissant et j'ai vu un gros chat noir se dresser au-dessus de moi. J'ai eu tellement peur que j'ai bondi. Il me regardait l'air furieux et, malgré mes pattes tremblantes, j'ai essayé de lui tenir tête.

— Qu'est-ce que tu fais là ? a-t-il sifflé en crachant agressivement.

— Je voulais juste dormir un peu, ai-je répondu d'un ton faussement assuré.

Comme je n'avais aucun moyen de lui échapper facilement, les pattes chancelantes, je me suis levé en essayant d'afficher un air menaçant. Le chat a souri, un sourire diabolique, et j'ai senti mes pattes flancher.

Il m'a donné un coup de griffe sur la tête. J'ai miaulé et j'ai senti une douleur à l'endroit où ses griffes m'avaient touché. Je n'avais qu'une envie : me mettre en boule, mais je savais qu'il fallait que je m'éloigne au plus vite de ce chat méchant. Il est revenu à la charge. Ses griffes scintillaient dans la semi-obscurité à quelques centimètres de ma tête. Heureusement, j'étais plus agile que lui. Je me suis rué vers la porte, passant devant lui à toute vitesse.

J'ai frôlé son pelage rêche, mais je suis parvenu à

sortir de la cabane. Il s'est tourné et a craché de nouveau. J'ai feulé, puis j'ai couru aussi vite que mes petites pattes me le permettaient. Au bout d'un moment, je me suis arrêté et, quand je me suis retourné, j'ai constaté que j'étais seul. C'était la première fois que j'avais été réellement confronté au danger et j'ai réalisé qu'il fallait que mon pelage devienne plus épais si je voulais m'en sortir. À l'aide de ma patte, j'ai lissé mes poils tout en essayant d'ignorer l'éraflure qui piquait toujours. J'ai réalisé que je pouvais être très rapide quand il le fallait et que je devrais utiliser cette aptitude pour échapper au danger.

Je me suis remis à avancer en miaulant, car j'étais terrifié, mais c'était justement la peur qui me poussait à continuer. J'ai regardé le ciel étoilé et je me suis demandé, une fois encore, si Agnès et Margaret pouvaient me voir, de là où elles étaient. Je l'espérais de tout mon cœur, mais je ne savais pas. Je savais si peu de choses.

Quand j'ai osé m'arrêter pour reprendre mon souffle, je me suis rendu compte que j'étais affamé et transi de froid. Habitué à être assis au coin du feu chez Margaret, je n'étais pas préparé à cette nouvelle vie. Je savais que, si je voulais manger quelque chose, il me faudrait chasser. Je n'avais guère eu l'occasion de le faire, par le passé, et je n'étais pas vraiment expert en la matière. J'ai suivi mon odorat et j'ai trouvé quelques souris qui rôdaient autour des poubelles devant une grande maison.

Malgré mon dégoût (je mangeais la plupart du temps des terrines pour chats, à part pour les occasions spéciales, quand Margaret me donnait du poisson), j'en ai chassé une dans un coin, puis je l'ai tuée. Comme je n'avais pas l'habitude d'être affamé à ce point, je l'ai presque trouvée délicieuse, et ce petit repas m'a donné l'énergie dont j'avais besoin pour continuer.

J'ai erré dans la nuit jusqu'au point du jour, m'amusant de temps à autre à chasser ma queue ou à sauter pour ne pas oublier qui j'étais : Alfie, le chat espiègle. J'ai même poursuivi une énorme mouche, puis je me suis souvenu qu'il fallait que j'économise mes forces pour la suite : je ne savais pas où ni quand je trouverais mon prochain repas.

Sans savoir où j'allais, je suis arrivé devant une grosse route et j'ai compris que je n'avais pas d'autre choix que de la traverser. Je n'étais pas habitué à la circulation. Margaret m'avait interdit d'approcher des routes quand je n'étais encore qu'un chaton. C'était bruyant et terrifiant, ici.

Les voitures et les camions passaient en trombe devant moi. J'ai attendu sur le trottoir, le cœur battant, et tout à coup j'ai vu un espace entre les véhicules. J'ai failli fermer les yeux et me mettre à courir, mais j'ai réussi à calmer mes pattes tremblantes avant de faire n'importe quoi. Craintivement, j'ai posé une petite patte sur la route et j'ai senti le grondement des voitures qui s'approchaient. Un klaxon a retenti et, quand j'ai tourné la tête à gauche, j'ai vu deux énormes phares foncer sur moi. J'ai couru à toute vitesse ; je n'avais jamais couru aussi vite. Horrifié, j'ai senti quelque chose frôler ma queue. J'ai miaulé et j'ai bondi en avant, le plus loin possible.

Heureusement, j'ai atterri sur le trottoir. Le cœur battant la chamade, je me suis retourné et j'ai vu une voiture passer à toute vitesse…

Elle avait failli m'écraser. Je me suis demandé si j'avais utilisé l'une de mes neuf vies de chat : j'en étais pratiquement certain. J'ai fini par reprendre mon souffle et, les pattes en coton, poussé par la peur, j'ai marché pendant quelques minutes pour m'éloigner de cette route, puis je me suis effondré devant le portail d'une maison.

Quelques minutes plus tard, une porte s'est ouverte et une dame est sortie. Elle tenait un chien en laisse. Il s'est jeté sur moi en aboyant furieusement, et une fois de plus j'ai dû m'esquiver pour échapper au danger. La femme a tiré sur la laisse et a réprimandé son chien qui continuait à gronder en montrant ses dents. J'ai feulé en guise de réponse.

J'ai appris très vite que le monde était un endroit hostile et dangereux, à des années-lumière de ma maison, d'Agnès et de Margaret. J'en étais même au point de me demander si je n'aurais pas été plus en sécurité dans un refuge pour animaux.

Pourtant, je ne pouvais plus revenir en arrière. Je n'avais aucune idée de l'endroit où je me trouvais. Quand j'étais parti, je ne savais pas exactement où j'allais, ni ce qui m'attendait, mais j'avais quelques espoirs. Je pensais qu'il me faudrait certes voyager un peu, mais j'avais dans l'idée qu'une gentille famille, peut-être une petite fille très mignonne, me trouverait et m'amènerait dans ma nouvelle maison. Tandis que j'affrontais quotidiennement de nouveaux dangers, au risque de ma vie parfois, que j'étais affamé au point de ne plus tenir debout, je gardais cette image dans ma tête.

J'étais désorienté, assoiffé et fatigué. L'adrénaline qui m'avait poussé à avancer retombait doucement et je sentais une lourdeur dans mes pattes. Je me suis engouffré dans une ruelle, où, si je sautais sur les clôtures et avançais en équilibre comme une danseuse étoile, je pourrais progresser en toute sécurité et prendre un peu de hauteur.

J'ai puisé dans mes réserves d'énergie pour sauter sur la clôture. J'ai aperçu un jardin avec un gros bol d'eau posé sur un poteau. Margaret en laissait toujours un dans son jardin pour que les oiseaux puissent boire. J'ai bondi de la clôture et je me suis retrouvé dans le jardin, où j'ai réussi à grimper sur le poteau. J'avais tellement soif que j'aurais pu gravir n'importe quelle montagne.

J'ai bu avidement, heureux du soulagement immédiat que l'eau me procurait. J'ai chassé quelques oiseaux ; c'était mon eau désormais. Une fois le bol pratiquement vide, je suis retourné sur mes clôtures et j'ai continué à avancer, m'éloignant de plus en plus de mon ancienne vie.

Heureusement, j'ai passé une nuit calme. J'ai croisé d'autres chats, mais ils m'ont ignoré, trop occupés qu'ils étaient à appeler les femelles pour l'accouplement.

Tout ce que je savais des autres chats, je l'avais appris d'Agnès, qui pouvait déjà à peine bouger quand je l'avais rencontrée, mais aussi des chats de notre rue, qui étaient en général aimables, surtout Mavis qui s'était montrée si gentille avec moi.

Je voulais aborder les chats pour leur demander

de l'aide, mais ils semblaient trop absorbés par leur quête et j'avais peur après l'incident avec le chat noir. Alors, j'ai continué à avancer avec précaution.

Le lendemain matin, j'avais le sentiment d'avoir parcouru une grande distance depuis mon départ. Comme j'avais faim, j'ai décidé d'essayer de charmer le premier chat que je croiserais dans l'espoir qu'il m'aiderait à trouver de la nourriture. J'en ai aperçu un qui lézardait au soleil devant une maison avec une porte rouge et brillante. Je me suis approché d'un pas mal assuré en ronronnant.

— Mon Dieu, a dit le chat.

C'était une chatte tigrée bien en chair.

— Tu es mal en point.

J'ai failli me vexer, mais j'ai réalisé que je n'avais pas vraiment fait ma toilette depuis que j'avais quitté la maison de Margaret. Ma priorité avait été de rester en vie et d'éviter les dangers.

— Je n'ai pas de foyer et j'ai faim, ai-je miaulé.

— Viens, je vais partager mon petit-déjeuner avec toi, a-t-elle proposé. Mais, ensuite, tu devras partir. Ma maîtresse va bientôt rentrer et elle n'apprécierait pas de trouver un chat errant dans sa maison.

J'ai soudain réalisé que j'étais bel et bien un chat errant. Je n'avais pas de maison, pas de famille, pas de protection. Je faisais partie des chats malchanceux, qui devaient se débrouiller seuls, qui vivaient dans la peur, qui étaient constamment fatigués et affamés. Ils n'étaient jamais au mieux de leur forme, n'avaient jamais bonne mine. J'avais désormais rejoint leurs rangs et c'était affreux.

J'ai mangé et j'ai bu avec gratitude, puis je suis parti après avoir remercié avec effusion la gentille chatte. Je ne connaissais même pas son nom.

Mon état d'esprit reflétait mon état physique. Le chagrin que je ressentais se traduisait par des douleurs physiques. J'avais le cœur serré, et chaque parcelle de mon corps, chaque poil de ma fourrure souffraient : Margaret me manquait cruellement. Mais j'avais connu l'amour, l'amour de ma maîtresse, l'amour de ma sœur chatte, et je devais continuer à avancer pour elles. Je leur devais bien ça. Maintenant que j'avais le ventre plein, j'ai repris la route avec un peu plus d'énergie.

3

Les jours passant, je m'éloignais de plus en plus de mon ancienne demeure, mais je ne savais toujours pas réellement où j'allais. Sur ma route, j'ai croisé quelques chats gentils, d'autres méchants et beaucoup de chiens qui se faisaient un plaisir de m'aboyer après, mais heureusement aucun d'eux n'a réussi à m'attraper.

Tous les sens en alerte, j'esquivais les coups, je sautais, je courais à toutes pattes et je sentais mon énergie faiblir petit à petit. J'ai appris à rendre les coups quand il le fallait, même si l'agressivité n'était pas dans ma nature.

En revanche, j'étais naturellement doué pour survivre à n'importe quelle situation. À force d'échapper aux voitures qui me fonçaient dessus, aux chats qui voulaient me donner des coups de patte, aux chiens qui me poursuivaient, je suis devenu de plus en plus futé et dégourdi.

Toutefois, je maigrissais de jour en jour ; mon pelage autrefois si brillant était terne, j'avais froid et j'étais épuisé. Je ne savais même pas comment j'arrivais à survivre. Jamais je n'aurais imaginé que la vie puisse ressembler à un tel cauchemar. Jamais je n'avais été aussi triste, jamais je ne m'étais senti aussi seul. Quand je dormais, je faisais des cauchemars, quand je me réveillais, je réalisais que ma situation était sans espoir et je pleurais. C'était horrible et parfois j'avais vraiment envie d'en finir une fois pour toutes. Je ne savais pas combien de temps encore je pourrais continuer ainsi.

J'ai appris que la rue pouvait être cruelle et impitoyable. Cette situation m'affectait aussi bien physiquement que mentalement, et j'étais parfois si découragé qu'il me fallait fournir un effort énorme pour mettre une patte devant l'autre. Le temps était à l'image de mon humeur. Il faisait froid, il pleuvait et j'étais gelé jusqu'aux os, car mon pelage ne séchait jamais complètement. Pendant toute cette période passée dans les rues, en quête d'un avenir meilleur et d'une gentille famille, la petite fille adorable ne s'est pas matérialisée. Personne n'était venu me sauver et je commençais à croire que personne ne viendrait. Je m'apitoyais sur mon sort, mais j'avais quelques raisons de le faire.

Je me suis retrouvé, une fois encore, devant une grande artère. Les routes me faisaient toujours aussi peur. J'arrivais mieux à les traverser, désormais, même si j'avais le sentiment de jouer ma vie chaque fois que je descendais d'un trottoir. J'avais appris à prendre mon temps avant de traverser, même s'il me fallait parfois attendre très longtemps. Je me suis donc assis sur le trottoir, regardant à droite et à gauche en attendant qu'il y ait une brèche dans le flot de véhicules qui se déversaient sur cette artère. Malgré tout, j'ai couru le plus vite possible et je suis arrivé, hors d'haleine, de l'autre côté. Malheureusement, je m'étais tellement concentré sur cette traversée que je n'avais pas remarqué le petit chien bien gras qui se tenait de l'autre côté de la route. Il s'est dressé devant moi et s'est mis à gronder en montrant ses dents pointues, la gueule dégoulinante de bave. Comble de malchance, il n'y avait ni laisse ni maître en vue.

J'ai feulé en guise de réponse, dans l'espoir de le décourager, mais j'étais terrifié. Il était si près de moi que je pouvais sentir son odeur. Il a aboyé et s'est soudain rué sur moi. Malgré la fatigue, j'ai bondi en arrière et je me suis mis à courir, mais j'ai senti son souffle sur ma queue. Tout en accélérant l'allure, j'ai jeté un regard en arrière et j'ai vu qu'il me poursuivait comme s'il cherchait à me mordre les pattes. Malgré son embonpoint, il courait vite et je l'entendais aboyer derrière moi. J'ai tourné à l'angle de la rue et j'ai atterri dans une ruelle que j'ai dévalée à toutes pattes. Après avoir couru pendant des kilomètres (me semblait-il), j'ai ralenti et, comme je n'entendais aucun bruit, j'ai regardé derrière moi ; heureusement, le cabot avait disparu. J'avais réussi à lui échapper.

Le cœur battant, j'ai ralenti le pas et j'ai avancé le long de la ruelle bordée de jardins ouvriers, où les gens faisaient pousser des légumes. Comme il pleuvait toujours des cordes, il n'y avait pas grand-monde dehors et, malgré ma fatigue et le fait que j'étais trempé jusqu'aux os, je suis parti, d'un pas assuré, à la recherche d'un abri. Dans l'un des petits jardins, il y avait une cabane dont la porte était entrouverte. Trop épuisé pour me soucier de ce qui m'attendait à l'intérieur, j'ai poussé doucement la porte avec mon museau. J'avais si froid, j'étais si angoissé, qu'il fallait absolument que je trouve un endroit au sec pour me reposer, car sinon j'allais tomber gravement malade.

Je suis entré furtivement dans la cabane et j'ai constaté avec soulagement qu'il y avait une couverture au fond. Elle sentait le moisi, elle était un peu rêche. Ce n'était certainement pas le luxe auquel j'avais été habitué dans mon ancienne vie, mais, en cet instant, la cabane était un véritable palace à mes yeux. Je me suis mis en boule et j'ai essayé de sécher mes poils le mieux possible. J'étais certes complètement affamé, mais je n'avais pas la force d'aller chercher de la nourriture.

J'entendais la pluie tambouriner sur le toit de la cabane, tandis que je gémissais doucement. J'avais toujours été un chat très gâté, je m'en rendais compte, maintenant. La liste de toutes les choses que je tenais pour acquises quand je vivais chez Margaret était très longue. Je savais que je serais toujours au chaud, que je serais nourri, aimé, qu'on s'occuperait de moi.

Quand il faisait froid, je restais au coin du feu dans le séjour de Margaret. Je passais les journées ensoleillées à lézarder devant la fenêtre. J'étais chouchouté par ma maîtresse et c'était le grand luxe pour moi. Maintenant que je n'avais plus rien, je me rendais compte combien j'étais heureux alors, combien j'avais eu de la chance.

Qu'allait-il advenir de moi ? Quand Mavis m'avait conseillé de partir, j'étais loin d'imaginer ce qui allait m'arriver. Je n'aurais jamais cru me retrouver dans une situation si désespérée, au point de me demander si j'allais continuer.

Je n'étais vraiment pas sûr de pouvoir y arriver.

Mon périple allait-il se terminer ici, sur une couverture qui sentait mauvais ? Était-ce là mon destin ? J'avais encore l'espoir de m'en sortir, mais je ne voyais pas d'alternative. Je savais que ce n'était pas bien de s'apitoyer sur son sort, mais je ne pouvais pas m'en empêcher. Mon ancienne vie me manquait et je me demandais ce que j'allais devenir.

J'ai dû finir par m'endormir, car j'ai été réveillé par une paire d'yeux qui me fixaient ; j'ai cligné des yeux. Une chatte se tenait devant moi, aussi noire que la nuit, les prunelles brillantes comme des torches.

— Je ne te veux aucun mal, ai-je dit immédiatement tout en pensant que, si elle voulait se battre, je la laisserais m'achever.

— Je me disais bien que j'avais senti un chat. Qu'est-ce que tu fais là ? a-t-elle demandé – sans la moindre agressivité néanmoins.

— Je voulais juste me reposer un peu. Un chien m'a poursuivi et j'ai atterri ici par hasard. Il faisait chaud, c'était sec, alors…

— Tu vis dans la rue ? a-t-elle demandé.

— Je ne suis pas censé être un chat errant, mais en ce moment, oui, je vis dans la rue, ai-je répondu tristement.

Elle a fait le dos rond.

— Écoute, c'est mon terrain de chasse, ici. Je vis dans la rue et ça me convient parfaitement. Je mange les restes laissés par les créatures qui viennent chercher de la nourriture ici : les souris, les oiseaux, tu vois ? J'appelle ça mon petit lopin. Je voulais uniquement m'assurer que tu n'avais aucune prétention sur mon terrain de chasse.

— Bien sûr que non ! ai-je répondu, indigné. Je voulais simplement m'abriter de la pluie.

— Tu finiras par t'habituer à la pluie, a-t-elle dit.

J'avais bien envie de répondre « Jamais de la vie », mais je ne voulais pas vexer ma nouvelle camarade. Je me suis levé doucement et je me suis approché d'elle.

— Est-ce que ça devient plus facile avec le temps ? ai-je demandé.

Était-ce vraiment cela, mon avenir ?

— Je ne sais pas, mais on s'habitue.

Son regard s'est assombri.

— Allez, viens avec moi. On va chasser ensemble et je vais te montrer un endroit où tu pourras boire, mais demain matin, tu pars, d'accord ?

J'ai accepté ses conditions.

J'ai mangé, j'ai bu, mais je ne me sentais toujours pas mieux. Quand je me suis mis en boule sur la couverture et que ma nouvelle amie m'a quitté, j'ai prié pour qu'un miracle se produise parce que j'avais de plus en plus le sentiment que je ne sortirais pas vivant de ce périple.

4

Le lendemain matin, je suis reparti, comme promis, mais j'étais complètement découragé. Les jours passaient et j'étais en proie à des sentiments contradictoires. Un matin, j'avais l'impression que je ne pourrais pas aller plus loin ; le temps, la faim, la solitude m'affectaient au plus haut point. Pourtant, le matin suivant, je reprenais ma route en me disant que je devais me battre pour Margaret et Agnès. Ainsi, j'oscillais sans cesse entre le désespoir et la volonté de m'en sortir.

J'arrivais à me nourrir, à me désaltérer et j'ai appris progressivement à être plus autonome. Je commençais même à m'habituer au temps, même si je détestais toujours autant la pluie. Je chassais un peu plus efficacement, bien que n'en retirant aucun plaisir particulier, et je m'étais un peu endurci. Pourtant, je n'étais pas certain d'être suffisamment résistant pour survivre dans la rue. Non, je ne l'étais pas encore assez.

Une nuit, alors que j'étais dans une disposition d'esprit plus positive, j'ai croisé un groupe d'humains. Ils étaient tous blottis autour d'une grande entrée. Il y avait des tas de cartons et ça sentait très mauvais. Ils avaient tous des bouteilles à la main, et quelques-uns d'entre eux avaient presque autant de poils sur le visage que moi.

— C'est un chat, a bafouillé un des hommes poilus tout en buvant une gorgée.

Il a brandi sa bouteille vers moi. La puanteur m'a forcé à reculer. Ils ont ri en me voyant faire marche arrière. Je ne savais pas vraiment quel danger me guettait. Un des hommes m'a jeté une bouteille dessus, je me suis écarté de sa trajectoire, mais elle s'est brisée en mille morceaux juste à côté de moi.

— Sa fourrure ferait un bon chapeau pour me tenir chaud, a dit un autre avec un rire un peu menaçant.

J'ai continué à reculer.

— On n'a rien à bouffer, fous le camp, a dit méchamment un troisième.

— On pourrait l'écorcher vif pour en faire un chapeau, puis le bouffer, a suggéré un autre en riant.

J'ai ouvert de grands yeux, horrifié, puis j'ai continué à reculer. C'est alors qu'un chat a surgi de nulle part.

— Suis-moi, a-t-il sifflé, et je l'ai suivi en courant dans la rue.

Heureusement, juste au moment où j'ai senti mes dernières forces m'abandonner, nous nous sommes arrêtés.

— Qui étaient ces hommes ? ai-je demandé, hors d'haleine.

— Des ivrognes du coin. Ils n'ont pas de domicile. Tu devrais faire un gros détour quand tu les vois.

— Moi non plus, je n'ai pas de domicile ! me suis-je écrié.

J'avais bien envie de me remettre à miauler.

— Je suis désolé de l'apprendre, mais tu ferais mieux de les éviter. Ils ne sont pas franchement gentils !

— C'est quoi, des ivrognes ? ai-je demandé.

J'avais vraiment l'impression de ne rien connaître du monde.

— Ce sont des humains qui boivent un breuvage qui les transforme. Ce n'est ni du lait ni de l'eau. Écoute, viens avec moi. Je peux te trouver de la nourriture et du lait pour ce soir, et tu pourras dormir dans un endroit sûr.

— C'est très gentil à toi, ai-je dit en ronronnant.

— Je suis passé par là, moi aussi ; j'ai été sans domicile pendant quelque temps, a dit le chat.

Puis, il s'est mis à avancer en me faisant signe de le suivre avec sa patte.

Il s'appelait Bouton, un nom stupide pour un chat, trouvait-il, mais il avait un jeune maître qui disait qu'il était « mignon comme un bouton », allez savoir pourquoi, mais peu importait. La maison où nous sommes allés était plongée dans l'obscurité, et j'étais très content d'être bien au chaud et en sécurité, d'avoir un toit au moins pour une nuit. Je me suis dit qu'il était urgent que je trouve un foyer. J'ai raconté mon histoire à Bouton.

— C'est triste, a-t-il dit. Mais tu as appris, comme moi, qu'un seul maître ne suffit pas. Je vais dans une autre maison de ma rue de temps en temps.

— Vraiment ? ai-je demandé, intrigué.

— Je me considère comme un chat de pas-de-porte, a-t-il dit.

— Qu'est-ce que c'est que ça ? ai-je demandé avec curiosité.

— Eh bien, tu vis quelque part la plupart du temps, mais tu vas te poster devant d'autres portes jusqu'à ce qu'on t'ouvre. Ça ne marche pas tout le temps. J'ai une autre maison et, même si je n'y habite pas vraiment, je sais que je pourrais toujours y aller au cas où il se passerait quelque chose.

J'ai continué à lui poser des questions et il m'a expliqué qu'un chat de pas-de-porte était nourri plusieurs fois par jour, par plusieurs familles qui étaient aux petits soins pour lui. Il vivait ainsi à l'abri du besoin et du danger.

Comme moi, il avait détesté la période qu'il avait passée dans la rue. Contrairement à moi, un petit garçon était venu le sauver, mais il disait qu'il avait un peu orchestré cette rencontre. Quand il avait trouvé sa nouvelle famille, il avait pris un air désespéré pour qu'ils aient pitié de lui et finissent par l'adopter.

— Alors, tu as fait comme si tu mourais de faim et avais besoin qu'on s'occupe de toi ? ai-je demandé, les oreilles dressées.

— En fait, ça correspondait parfaitement à la réalité.

— Mais, tu sais, j'ai eu de la chance. J'ai demandé de l'aide et quelqu'un m'a recueilli. Je vais t'aider, si tu veux.

— Oh oui, avec plaisir ! ai-je répondu.

Il m'a laissé me blottir contre lui dans sa corbeille, et nous avons parlé une bonne partie de la nuit.

Même si je n'ai pas pu dormir beaucoup, parce qu'il fallait que je parte tôt, avant que les maîtres de Bouton ne se réveillent, je me suis senti en sécurité pour la première fois depuis que j'avais quitté la maison de Margaret. Un plan commençait aussi à prendre forme dans ma tête. Je ferais un excellent chat de pas-de-porte.

5

Le lendemain matin, j'ai quitté la maison de Bouton. J'étais triste de partir, après cette nuit passée en toute sécurité, mais au moins m'avait-il indiqué où aller, là où se trouvaient les plus belles rues du coin.

Il m'a conseillé de me diriger vers l'ouest, vers les quartiers où les familles aimaient s'installer. Je finirais, disait-il, par trouver la rue qui me conviendrait. Il fallait que je fasse confiance à mon instinct. D'après lui, je saurais immédiatement quand j'aurais atteint le terme de mon voyage. Après une bonne nuit et un bon petit-déjeuner, j'ai repris ma route en suivant la direction qu'il avait indiquée, esquivant le danger et suivant mon instinct.

J'étais certes plus optimiste, mais ma vie n'a pas changé du jour au lendemain simplement parce que j'avais rencontré Bouton. Il me fallait rester attentif et vigilant, et il y avait encore des jours où j'étais affamé, épuisé, où je devais continuer à avancer, les pattes tremblantes de fatigue, les poils collés contre mon corps à cause de la pluie. J'ai survécu, mais mon périple a été long et difficile. Pour me donner du courage, je me disais que le jeu en valait la chandelle !

Enfin, je suis arrivé dans une jolie rue et, comme

Bouton me l'avait dit, j'ai su immédiatement qu'elle me donnerait ce dont j'avais besoin. Je ne savais pas exactement pourquoi, mais je le savais. Je sentais que là était ma place. Je me suis assis devant un panneau indiquant EDGAR ROAD et je me suis léché les babines. Pour la première fois depuis que j'avais quitté la maison de Margaret, j'ai eu le sentiment que tout allait bien se passer.

J'ai tout de suite aimé Edgar Road. C'était une rue plutôt longue avec différentes sortes de maisons : des mitoyennes de style victorien, des blocs modernes, de grandes villas et quelques bâtiments divisés en appartements.

Ce qui m'a beaucoup plu, c'était le nombre de panneaux À VENDRE et À LOUER. Bouton m'avait expliqué que ces écriteaux signifiaient que de nouveaux habitants allaient bientôt arriver. Et j'étais intimement persuadé que ce dont avaient le plus besoin les nouveaux arrivants, c'était d'un chat comme moi.

Les jours suivants, j'ai rencontré quelques chats du quartier. Quand je leur ai fait part de mon projet, ils ont insisté pour m'aider. Je n'ai pas tardé à découvrir que, dans l'ensemble, les chats d'Edgar Road étaient plutôt gentils. Après tout, c'était important pour moi de vivre dans un quartier avec de bons voisins chats.

Il y avait bien un ou deux matous au caractère dominant et une jolie femelle qui était méchante avec tout le monde, mais tous les autres se sont montrés très aimables et partageaient leur nourriture et leur lait avec moi chaque fois que j'étais vraiment dans le besoin.

Je passais mes journées à parler avec les autres chats, essayant d'obtenir le maximum d'informations. J'inspectais aussi les maisons vides, en quête d'un foyer potentiel. La nuit, je chassais pour me nourrir.

Un soir, alors que j'étais dans Edgar Road depuis un peu moins d'une semaine, un matou particulièrement méchant m'a surpris assis devant une maison vide que j'avais repérée et que je surveillais.

— Tu ne vis pas ici. Je pense qu'il est temps pour toi de partir, a-t-il sifflé.

— Non, j'ai bien l'intention de rester, ai-je feulé à mon tour en essayant de l'affronter courageusement.

Il était plus grand que moi et, bien sûr, je n'étais toujours pas au meilleur de ma forme. Après tout ce que j'avais enduré, je n'avais plus envie de lutter, mais je ne pouvais pas abandonner si près du but. J'ai soudain été distrait par un bruit et j'ai levé les yeux : un oiseau descendait en piqué au-dessus de nous. Le matou en a profité pour me donner un coup de patte et m'a griffé juste au-dessus de l'œil.

J'ai miaulé. Ça faisait vraiment mal et j'ai rapidement senti le sang qui coulait. J'ai craché, tandis qu'il s'avançait comme s'il allait me mordre. Je me suis juré de toujours garder un œil sur lui à l'avenir.

Une chatte tigrée aux belles couleurs, appelée Tigresse, vivait juste à côté de la maison vide, et nous étions devenus amis. Elle a surgi soudain et s'est interposée entre le matou et moi.

— Va-t'en, Bandit, a-t-elle sifflé.

Bandit semblait vouloir se battre, mais, quelques secondes plus tard, il a tourné les talons et est parti d'un air digne.

— Tu saignes, a dit Tigresse.

— Il m'a pris par surprise : j'ai été distrait par un oiseau, ai-je dit d'un ton hautain. J'aurais pu le chasser facilement.

Tigresse a souri.

— Écoute, Alfie, je suis certaine que tu en es parfaitement capable, mais tu es encore fragile. En tout cas, viens avec moi, je vais te donner un peu de nourriture.

Je l'ai suivie et j'ai su qu'elle serait ma meilleure amie parmi tous les chats de la rue.

— Franchement, tu n'as pas l'air en forme, a fait remarquer Tigresse pendant que je mangeais avec gratitude.

J'ai essayé de ne pas me vexer.

— Je sais, ai-je répondu tristement.

C'était vrai. Quand j'étais arrivé dans Edgar Road, j'étais plus maigre que jamais. Mon pelage n'était plus du tout brillant et j'étais fatigué par cette vie à la dure et la malnutrition. Je ne savais pas combien de temps j'avais mis pour arriver ici, mais j'avais le sentiment que j'étais parti de chez Margaret depuis une éternité.

Le temps avait changé. Il faisait plus chaud et les nuits étaient plus claires. J'avais l'impression que le soleil n'allait pas tarder à percer.

Plus les jours passaient, plus mes liens avec Tigresse se resserraient et plus je me sentais à l'aise dans ma nouvelle rue. J'en avais inspecté tous les recoins, je la connaissais sur le bout des pattes. Je savais où chaque chat vivait et s'il était gentil ou non. Je savais aussi où se trouvaient les chiens méchants, et, après leur avoir échappé de justesse, je savais quelles maisons il fallait éviter à tout prix.

J'avais fait l'équilibriste sur toutes les clôtures et tous les murs d'Edgar Road. Je savais que c'était ici que se trouvaient ma nouvelle maison ou plus précisément mes nouvelles maisons.

6

Assis devant la maison, j'ai regardé deux hommes baraqués décharger les derniers meubles du camion de déménagement. Jusqu'à présent, j'étais plutôt content de ce que j'avais vu : un canapé bleu qui paraissait très confortable ; de gros coussins de sol et un fauteuil rembourré très chic qui m'avait tout l'air d'être une antiquité, mais j'étais loin d'être un expert en la matière. J'avais déjà vu des tas de meubles sortir du camion : des armoires, des commodes et plein de cartons fermés, mais je m'intéressais surtout au mobilier rembourré.

Satisfait, j'ai remué la queue et j'ai souri en soulevant mes moustaches. Je venais de trouver mon premier foyer potentiel au 78, Edgar Road.

Pendant que les déménageurs faisaient une pause et buvaient dans des mugs isothermes, j'en ai profité pour me glisser dans la villa. Malgré ma curiosité, j'ai d'abord traversé toute la maison pour aller vérifier la porte de derrière. J'avais certes visité tous les jardins de la rue et j'étais pratiquement sûr que cette maison avait bel et bien une chatière, mais je voulais en avoir le cœur net. C'était bien le cas. J'ai ronronné de plaisir, ravi d'avoir été aussi malin, et je suis passé par la chatière pour aller me cacher dans le jardin.

Après avoir chassé mon ombre dans le minuscule jardin et avoir cherché quelques mouches à embêter, j'ai décidé de faire une toilette complète. J'étais tellement impatient que j'en frissonnais d'excitation. Plein d'espoir, je suis retourné dans la maison, imaginant combien il serait agréable de redevenir un chat domestique. Je rêvais de m'asseoir sur des genoux, de boire du lait et de pouvoir enfin manger à ma faim. Des besoins simples, certes, mais qu'on ne pouvait pas tenir pour acquis. Plus rien n'allait de soi, désormais, à mes yeux.

Je n'étais pas un chat stupide. Mon périple et les chats que j'avais croisés sur ma route m'avaient appris beaucoup de choses. Je n'allais plus jamais mettre toutes mes griffes dans le même panier. C'est une leçon que j'avais apprise à mes dépens. Certains de mes pairs étaient soit trop confiants, soit trop fainéants, mais j'avais découvert que je ne pouvais pas me permettre d'être l'un ou l'autre. J'avais certes très envie d'être un chat loyal avec une maîtresse ou un maître loyal, mais c'était beaucoup trop précaire. Je ne voulais plus jamais revivre une telle situation. Je ne pourrais pas supporter de me retrouver seul encore une fois.

J'ai senti mes poils se hérisser, chassé de mon esprit les semaines terrifiantes que je venais de passer et j'ai reporté mon attention sur mes nouveaux propriétaires. J'espérais de tout cœur qu'ils seraient aussi doux et accueillants que leurs fauteuils et leurs coussins.

Tandis que je marchais à pas feutrés dans la maison, j'ai remarqué que le ciel commençait à s'assombrir et que la température avait baissé. Je me suis demandé pourquoi mes futurs maîtres avaient fait venir ces meubles dans cette maison, s'ils n'avaient pas l'intention d'y emménager eux-mêmes. Ce n'était pas logique. J'ai senti la panique me gagner, craignant le pire pour des maîtres que je n'avais encore même pas rencontrés. Puis je me suis ressaisi et j'ai passé ma petite langue sur mes moustaches pour me calmer. Il fallait absolument que je sois à mon avantage quand les gens arriveraient dans leur nouvelle maison. J'étais beaucoup trop anxieux. Le problème, c'est que j'avais passé trop de temps à vivre dans la rue et je savais que je ne pourrais pas supporter une nuit de plus sans domicile. Juste au moment où j'étais sur le point de céder à la panique, j'ai entendu la porte d'entrée s'ouvrir. J'ai immédiatement dressé les oreilles et je me suis étiré. Il était temps d'aller faire connaissance avec ma première nouvelle famille. J'ai affiché mon plus beau sourire.

— Je sais, maman, mais je n'y peux rien.

C'était une voix de femme. Elle a marqué une pause.

— Je n'ai pas pu être là, parce que ma fichue voiture est tombée en panne au bout de deux heures de route. J'ai passé les trois dernières heures avec un dépanneur particulièrement bavard. J'ai cru qu'il allait me rendre folle.

Elle s'est tue de nouveau. La voix était plutôt agréable, mais trahissait une certaine exaspération. Je me suis avancé un peu plus.

— Oui, on dirait que tous les meubles sont là et, comme je le leur avais demandé, ils avaient glissé les clés sous la porte d'entrée.

Silence.

— Edgar Road n'a rien à voir avec un ghetto, maman. Je pense que ça sera très bien. En tout cas, je viens de franchir le seuil de ma nouvelle maison après une journée d'enfer, alors, je t'appellerai demain.

J'ai tourné à l'angle du couloir et je me suis trouvé face à une femme. Elle avait l'air plutôt jeune, même si je ne suis pas spécialement doué pour donner un âge à un humain. Tout ce que je pouvais dire, c'est qu'elle n'avait pas le visage plein de rides comme Margaret. Elle était plutôt grande, très mince et avait des cheveux blond foncé mal coiffés et des yeux bleus tristes. À première vue, elle avait l'air charmante, et ses yeux tristes m'attiraient inexorablement. Mon instinct de chat me disait qu'elle avait tout autant besoin de moi que j'avais besoin d'elle. Comme la plupart des chats, je ne jugeais pas les humains sur leur apparence, mais je devinais leur personnalité, et en général les chats savent immédiatement repérer les gens qui leur feront du bien et ceux qui leur veulent du mal. *Elle fera parfaitement l'affaire,* ai-je tout de suite pensé, ravi.

— Qui es-tu ? a-t-elle demandé en prenant une petite voix.

Le genre de voix que la plupart des gens réservent aux animaux de compagnie et aux bébés, comme si nous étions stupides. Je lui aurais bien lancé un regard dédaigneux, mais il fallait au contraire que je lui fasse du charme. Je lui ai adressé mon plus beau sourire. Elle s'est agenouillée à côté de moi et j'ai ronronné. Je me suis approché doucement d'elle et me suis frotté contre ses jambes. Oh oui, je savais flirter quand il le fallait.

— Mon pauvre, tu as l'air affamé et on dirait que tu as perdu pas mal de poils, comme si tu t'étais battu. Tu t'es battu ?

Elle avait l'air très tendre et j'ai ronronné. Voilà bien longtemps que je n'avais pas vu mon reflet ailleurs que dans l'eau, mais je savais par Tigresse que je n'étais pas très beau en ce moment. Il ne me restait plus qu'à espérer que mon apparence ne la rebuterait pas. Je suis allé me blottir contre ses jambes.

— Oh ! tu es si gentil ! Comment t'appelles-tu ?

Elle a regardé la petite plaque argentée accrochée à mon cou.

— Alfie ! Eh bien, salut, Alfie !

Elle m'a pris doucement dans ses bras et a caressé mon pelage « clairsemé ». C'était tout simplement divin après tout ce temps passé dans les rues. J'avais l'impression de nouer des liens avec cette femme, j'apprenais à reconnaître son odeur, je transférais la mienne. Ça me rappelait mon passé, mon enfance de chat. J'ai senti que je pouvais enfin me détendre après toutes ces semaines de stress et de vigilance. Je me suis mis à ronronner de plus belle et je me suis blotti contre elle.

— Bon, Alfie, moi, c'est Claire et, même si je suis certaine que je n'étais pas censée trouver un chat dans cette maison, je vais voir si je peux te donner à manger. J'appellerai tes maîtres dans un moment.

J'ai souri. Elle pouvait essayer si elle voulait, mais le numéro sur ma plaque ne la mènerait nulle part. J'ai avancé fièrement à côté d'elle, la queue en l'air, ma façon de saluer dans les règles ma nouvelle amie qui retournait vers la porte d'entrée. Elle a ramassé deux sacs en plastique qu'elle a emportés dans la cuisine.

Tandis qu'elle déballait ses provisions, j'ai regardé avec attention la nouvelle pièce où je prendrais mes repas. La cuisine était petite, mais moderne. Elle était dotée d'éléments blancs et brillants et de plans de travail en bois. Elle était propre et dépouillée. Remarque, me suis-je dit, personne n'y vivait pour le moment. Dans mon ancienne maison, à laquelle je ne pouvais pas penser sans avoir envie de pleurer, la cuisine était très démodée et encombrée.

Un immense buffet trônait dans la pièce et il y avait des assiettes décoratives partout. J'en avais cassé une accidentellement quand j'étais tout petit. Margaret avait été si contrariée que je ne m'étais plus jamais approché de ces bibelots. Toutefois, Claire n'avait certainement pas d'assiettes décoratives dans ses cartons. Ça n'était pas son genre.

— Et voilà, a-t-elle dit d'un ton triomphal en posant un bol qu'elle avait sorti de ses cartons et rempli de lait.

Elle a ensuite ouvert un emballage et disposé du saumon fumé sur une assiette. *Quel accueil !* ai-je pensé. Je ne m'étais certes pas attendu à ce qu'elle ait de la nourriture pour chats, mais je n'aurais jamais imaginé avoir droit à un tel festin. J'aurais pu me contenter de n'importe quoi, aujourd'hui. Un bol de lait aurait suffi à faire mon bonheur. J'ai décidé aussi sec que j'aimais bien Claire. Pendant que je mangeais, elle a sorti un verre du carton où elle avait trouvé le bol et une bouteille de vin du sac en plastique. Elle a rempli son verre, l'a vidé d'un trait, puis s'en est servi un autre. Surpris, j'ai levé les yeux vers elle. Elle devait vraiment avoir très soif !

J'ai fini de manger, puis je suis allé caresser les jambes de Claire pour la remercier. Elle avait l'air perdue dans ses pensées, mais elle a fini par me regarder.

— Oh mon Dieu, il faut que j'appelle tes maîtres, a-t-elle dit comme si elle avait oublié.

J'ai miaulé pour lui faire comprendre que je n'en avais pas, mais elle n'a pas saisi. Elle s'est accroupie et a regardé ma plaque argentée. Elle a composé le numéro et a attendu. J'avais beau savoir que personne ne répondrait, je ne pouvais m'empêcher d'être nerveux.

— C'est bizarre, a-t-elle dit, il n'y a pas de tonalité. La ligne est peut-être en dérangement. Ne t'inquiète pas, je ne vais pas te jeter dehors. Reste ici pour cette nuit, je réessaierai demain.

J'ai ronronné bruyamment pour la remercier et j'ai été immédiatement soulagé.

— Mais si tu dors ici, tu n'échapperas pas à un bon bain, a-t-elle dit en me prenant dans ses bras.

J'ai dressé les oreilles, horrifié. Un bain ? J'étais un chat, je me chargeais moi-même de ma toilette. J'ai miaulé pour protester.

— Désolée, Alfie, mais tu sens vraiment mauvais, a-t-elle ajouté. Bon, je vais aller chercher des serviettes dans mes cartons et je vais m'occuper de toi.

J'ai résisté à l'envie de sauter à terre et de m'enfuir

à nouveau. Je détestais l'eau et je savais ce qu'était un bain : j'avais dû en prendre un, il y a longtemps, chez Margaret, un jour que j'étais revenu couvert de boue. Une expérience horrible, mais je me suis dit que c'était encore pire de ne pas avoir de toit, alors, j'ai décidé d'être courageux encore une fois. Elle m'a posé devant un grand miroir dans sa chambre et est allée chercher des serviettes. J'ai regardé et laissé échapper un cri de surprise. J'ai eu l'impression de voir un autre animal en face de moi. J'étais dans un état épouvantable ; c'était encore pire que ce que j'avais imaginé. Mon pelage était clairsemé. J'étais si maigre que mes os dépassaient et, malgré mes efforts pour faire ma toilette, Claire avait raison : j'étais sale. Un sentiment de tristesse m'a soudain envahi. Depuis la mort de Margaret, je n'étais plus le même : mon cœur avait changé ; mon apparence aussi.

Claire est venue me chercher pour m'emmener dans la salle de bains, où elle a fait couler de l'eau dans la baignoire avant de me déposer doucement dedans. J'ai miaulé et je me suis tortillé dans tous les sens.

— Désolée, Alfie, mais tu as besoin d'une bonne toilette.

Elle avait l'air un peu perturbée, tandis qu'elle inspectait le flacon qu'elle tenait à la main.

— Comme c'est un shampoing naturel, ça devrait faire l'affaire. Oh mon Dieu, je n'en sais rien, je n'ai jamais eu de chat.

Elle était visiblement troublée.

— Et tu n'es pas mon chat. J'espère que tes maîtres ne se font pas trop de souci.

J'ai vu une larme perler au coin de son œil. Je ne m'attendais pas à ça.

Je voulais la réconforter. Elle en avait besoin, mais je ne pouvais pas, car j'étais toujours dans la baignoire et j'avais l'impression de m'être transformé en une immense bulle de savon. Après le bain, qui a duré une éternité, elle m'a enveloppé dans une serviette et m'a séché.

Une fois sec (enfin), j'ai suivi Claire dans le séjour, où elle s'est laissée tomber sur le canapé fraîchement installé, et je me suis moi aussi assis dessus. Il était aussi confortable que je l'avais espéré. Elle ne m'a pas dit de descendre et n'a pas essayé de me chasser. Comme deux étrangers polis, nous étions assis chacun d'un côté du sofa. Elle a pris son verre, a bu une petite gorgée, puis a poussé un soupir. Je l'ai observée, tandis qu'elle balayait la pièce du regard comme si elle la voyait pour la première fois. Il y avait des cartons à déballer, une télévision au milieu de la pièce, une petite table et des chaises dans un coin. À part le canapé, rien n'était à sa place et on ne se sentait pas encore à la maison. Comme si Claire avait lu dans mes pensées, elle a bu une autre gorgée et a fondu en larmes.

— Qu'est-ce que j'ai fait ? a-t-elle dit en pleurant bruyamment.

Malgré le bruit, j'étais bouleversé de la voir si désespérée, tout à coup. Mais j'ai immédiatement su quoi faire. J'ai compris que je n'avais pas atterri ici pour rien. J'avais un nouveau but dans la vie. Je pourrais peut-être aider Claire autant qu'elle pourrait m'aider. J'ai traversé le canapé et je me suis blotti contre elle. J'ai posé ma petite tête sur ses genoux. Elle m'a caressé machinalement et, même si elle pleurait encore, je lui apportais le réconfort dont elle avait besoin et elle faisait la même chose pour moi. Vous voyez, je comprenais, parce qu'en cet instant, j'ai su au plus profond de mon être que nous étions des âmes sœurs.

J'avais enfin trouvé un nouveau foyer.

7

Je vivais chez Claire depuis une semaine, et nous avions pris nos petites habitudes, agréables quoique pas forcément saines. Elle pleurait beaucoup, je lui faisais des câlins en conséquence et cela me convenait parfaitement. J'adorais les câlins. Comme je n'avais pas eu ma dose ces derniers temps, j'avais de quoi rattraper. J'aurais tellement aimé faire quelque chose pour que Claire arrête de pleurer si souvent. Il était évident qu'elle avait besoin de mon aide et je me suis juré de la soutenir avec tous les moyens dont je disposais.

Claire avait réessayé d'appeler le numéro sur ma plaque, puis elle avait appelé la société de télécommunications et avait appris que la ligne avait été coupée. Elle a supposé que mes maîtres m'avaient abandonné et on aurait dit qu'elle ne m'en aimait que davantage. Elle en a même pleuré et s'est demandé comment on avait pu me faire une chose pareille. Elle a dit aussi qu'elle comprenait parfaitement, car il lui était arrivé la même chose. Je n'en savais pas davantage à ce stade, mais, ce qui m'importait, c'est que j'avais trouvé un foyer. Elle a commencé à m'acheter de la nourriture pour chats et du lait spécial. Elle m'a aussi pris un bac à litière, que je n'aimais pas trop utiliser. Elle voulait (elle n'avait fait qu'en parler jusqu'à présent) m'emmener chez le vétérinaire. Les vétos ont tendance à nous tâter là où nous n'avons aucune envie qu'on nous touche. Heureusement, Claire n'avait pas encore pris rendez-vous ; alors, je croisais les pattes pour qu'elle finisse par oublier !

Malgré ses crises de larmes fréquentes, Claire était très efficace. Elle avait réussi en deux jours à disposer tous ses meubles dans les différentes pièces et à ranger le contenu des cartons. Grâce à ces aménagements, la maison prenait vie, on s'y sentait à l'aise et chez soi. Elle avait suspendu des tableaux aux murs, disposé des coussins partout, et, tout à coup, les pièces paraissaient beaucoup plus chaleureuses. J'avais bien choisi.

Toutefois, comme je l'ai déjà dit, ce n'était pas un foyer heureux. Claire avait déballé ses cartons et je l'avais observée, faisant tout mon possible pour découvrir son histoire. Elle avait disposé beaucoup de photos dans la pièce de devant et me disait chaque fois qui figurait dessus : sa mère et son père, elle quand elle était petite, son frère cadet, des amies et des membres de sa famille élargie. Pendant quelques minutes, elle semblait pleine d'entrain et heureuse, et je récompensais son optimisme en allant me frotter contre ses jambes, car elle aimait bien cela, m'avait-elle dit. Du coup, je ne manquais jamais une occasion de le faire. Après tout, il fallait absolument qu'elle m'aime si je ne voulais pas me retrouver de nouveau dans la rue. Il fallait que je l'aime, moi aussi, même si ça me paraissait de plus en plus facile.

Un soir, elle a sorti une photo sans me faire ses commentaires habituels. On la voyait dessus, vêtue d'une robe blanche, main dans la main avec un homme très élégant. J'en avais suffisamment appris sur les humains pour savoir qu'il s'agissait d'une « photo de mariage », quand deux personnes s'unissaient et se promettaient de rester fidèles l'une à l'autre, quelque chose que nous, les chats, ne pouvions pas comprendre. Elle s'est laissée tomber sur le canapé, a serré la photo contre sa poitrine et s'est mise à sangloter bruyamment. Je me suis assis à côté d'elle et me suis mis à pleurer, moi aussi, ou du moins à miauler à pleins poumons pour l'accompagner, mais elle ne m'a même pas remarqué. Puis, j'ai commencé à miauler pour de bon. Comme Claire, je ne pouvais plus m'arrêter. Les souvenirs des jours passés étaient revenus me hanter, et je pleurais les êtres et les compagnons que j'avais perdus. J'ignorais certes si l'homme en costume avait quitté Claire ou s'il était mort comme ma Margaret ; tout ce que je savais, c'est qu'elle était vraiment toute seule. Exactement comme moi. Assis côte à côte, nous avons laissé libre cours à notre chagrin : elle sanglotait et je miaulais à l'unisson.

Deux jours plus tard, Claire est partie tôt le matin. Elle m'a dit qu'elle devait se rendre au travail. Elle avait un peu meilleure mine. Elle portait un beau tailleur et avait bien coiffé ses cheveux. Elle avait même un peu de couleur sur les joues, mais j'ignorais si c'était naturel ou non.

Moi aussi, j'avais l'air plus en forme. Il avait suffi

de quelques jours pour que mon pelage redevienne plus lisse, et j'avais pris un peu de poids maintenant que je mangeais (beaucoup) et que je faisais moins d'exercice. Quand je nous ai regardés tous les deux devant le grand miroir de Claire, je me suis dit que nous formions un joli couple ou du moins que nous en avions le potentiel.

Bien que Claire m'ait laissé quelque chose à manger, j'étais triste d'être seul de nouveau ; sa compagnie me manquait. J'avais Tigresse, bien sûr, et nous avons passé un peu de temps ensemble. Nous étions de plus en plus proches, tous les deux. Nous chassions les mouches ensemble, partions faire de petites promenades et lézardions au soleil dans son jardin, mais c'était une amitié entre chats. Je savais que j'avais besoin plus que tout d'humains sur qui je pourrais compter.

Quand Claire était au travail, des souvenirs fâcheux de mon errance dans les rues remontaient à la surface, et j'ai compris qu'il était temps pour moi de mettre mon plan à exécution. Si je voulais être certain de ne plus jamais être seul, il me fallait absolument trouver plusieurs foyers. C'était la dure réalité de la vie.

J'avais vu un panneau À VENDRE devant le numéro 46, à peu près à la même époque où j'avais repéré celui devant la maison de Claire. J'avais gardé un œil sur les deux maisons, mais, bien sûr, Claire était arrivée en premier. Toutefois, j'avais remarqué que le numéro 46 était désormais aussi habité. La maison était juste assez loin de celle de Claire pour me donner l'occasion de marcher un peu. Elle se trouvait dans la partie de la rue où il y avait les plus grandes villas, le « coin chic », comme m'avaient dit les chats qui vivaient ici non sans une certaine fierté... Ils n'étaient pas loin de s'en vanter. Ce serait donc un endroit agréable pour vivre au moins une partie du temps.

Edgar Road était une rue très spéciale. Comme il y avait des maisons très différentes, il y avait aussi des gens très différents qui vivaient dans le même quartier. La maison dans laquelle j'habitais avec Margaret, la seule que j'aie jamais connue, était minuscule et se trouvait dans une toute petite rue ; rien à voir avec les immenses villas qui bordaient l'extrémité d'Edgar Road.

La maison de Claire était de taille moyenne et celle du numéro 46 figurait parmi les plus luxueuses. Elle était plus grosse que celle de Claire, plus grande et plus large, et les fenêtres étaient immenses et imposantes. Je me voyais déjà assis sur le rebord de l'une d'entre elles en train de regarder joyeusement ce qui se passait dehors. Vu la taille de la villa, je me suis dit qu'elle devait abriter une famille entière et j'avais bien envie de devenir le chat de cette famille. Ne vous méprenez surtout pas. J'aimais beaucoup Claire et je m'étais vraiment pris d'affection pour elle. Je n'avais aucune intention de l'abandonner, mais j'avais besoin de plusieurs foyers pour être certain de ne plus jamais me retrouver seul. Le soleil venait tout juste de se lever quand je me suis intéressé au numéro 46. Une voiture très luxueuse, avec seulement deux sièges, était garée devant, ce qui m'a un peu inquiété, car elle ne semblait pas du tout appropriée pour une famille. Pourtant, j'avais déjà pris ma décision et je voulais en savoir plus. J'ai marché jusqu'à l'arrière de la maison, où j'ai constaté avec grand plaisir qu'il y avait une chatière qui m'attendait.

Je me suis retrouvé dans une pièce très élégante, dotée d'une machine à laver, d'un sèche-linge et d'un énorme frigo américain. Il se dressait au-dessus de moi comme un géant et bourdonnait bruyamment. J'en avais mal aux oreilles. J'ai continué mon inspection en me faufilant dans une grande cuisine par la porte entrouverte. Au centre trônait une immense table. J'avais l'impression d'être tombé sur une véritable pépite. Une table de cette taille pouvait accueillir de nombreux enfants, et tout le monde savait que les enfants aimaient les chats. J'allais être gâté ! J'étais de plus en plus enthousiaste. Je voulais vraiment être gâté.

Tandis que je rêvais à toute la nourriture, aux jeux et aux câlins qui m'attendaient, une femme et un homme sont entrés dans la pièce.

— Je ne savais pas que tu avais un chat, a-t-elle dit en laissant échapper un petit cri strident.

Elle avait une voix aiguë qui m'a fait penser à une souris. J'ai été un peu déçu de constater qu'elle n'avait pas du tout l'air maternelle. Elle portait une robe très moulante avec des chaussures presque plus hautes que moi. Je me suis demandé comment elle faisait pour respirer et pour marcher. En plus, on aurait dit qu'elle n'avait pas fait sa toilette comme il faut depuis un bon bout de temps. En général, je n'aime pas porter des jugements catégoriques, mais j'ai toujours pris soin de mon apparence et j'en tire une certaine fierté. J'ai entrepris de nettoyer mes coussinets et j'ai léché mon pelage pour bien le lisser et le lustrer dans l'espoir qu'elle comprendrait l'allusion.

Sa voix me faisait penser à celle d'une actrice dans l'une des séries que je regardais avec Margaret, *EastEnders*, s'appelait-elle si mes souvenirs sont bons.

J'ai cligné des yeux pour saluer l'homme qui ne m'a même pas gratifié d'un regard.

— Je n'ai pas de chat, a-t-il répondu d'une voix froide.

Je l'ai regardé. Il était grand avec des cheveux noirs et un beau visage, mais il n'avait pas l'air très aimable et, quand enfin il a posé les yeux sur moi, il semblait très fâché.

— J'ai emménagé il y a deux jours et je viens de remarquer qu'il y a une foutue chatière dans cette maison. Je vais devoir la condamner au plus vite si je ne veux pas que tous les chats décharnés du coin élisent domicile chez moi.

Il m'a foudroyé du regard comme s'il cherchait à me faire comprendre qu'il parlait de moi. Je me suis recroquevillé, un peu sur la défensive.

Je n'en croyais pas mes oreilles. Cet homme était horrible et j'étais affreusement déçu qu'il n'y ait pas d'enfants dans cette maisonnée. Il n'y avait pas de jouets dans la maison, et ces deux-là semblaient bien incapables de s'occuper d'un chat ou d'un enfant. Je m'étais complètement trompé… Il paraît que les chats ont de l'intuition, tu parles !

— Oh ! Jonathan, a dit la femme. Ne sois pas si méchant. Il est trop mignon. Et il a peut-être faim.

J'ai immédiatement regretté mes mauvaises pensées. Cette femme était peut-être négligée, mais elle était gentille. J'ai repris espoir.

— Je ne connais pratiquement rien des chats et je n'ai aucune intention d'en apprendre davantage sur eux, a-t-il répondu d'un ton qui m'a paru particulièrement hautain. Mais je sais quand même une chose à leur sujet : quand on leur donne à manger, ils reviennent. Alors, je ne vais surtout pas commencer à le faire. Bon, j'ai du travail. Je te raccompagne.

La femme paraissait tout aussi vexée que moi quand Jonathan l'a reconduite jusqu'à la porte. Je me suis roulé en boule, essayant de paraître le plus jeune et le plus mignon possible pour son retour. Peine perdue ! Au lieu de se laisser attendrir comme je l'avais escompté, il m'a pris et m'a jeté (littéralement jeté) à la porte. J'ai atterri sur mes pattes ; heureusement, je n'étais pas blessé.

— Nouvelle maison, nouveau départ, mais surtout pas de bestiole, a-t-il dit en me claquant la porte au nez.

Je me suis secoué, mortellement vexé. Comment cet homme osait-il me traiter ainsi ? J'étais aussi désolé pour la femme qu'il avait jetée dehors. J'espérais qu'il ne l'avait pas malmenée de la même façon.

J'aurais sans doute dû renoncer à faire du numéro 46 mon deuxième foyer, mais je n'étais pas du genre à abandonner si facilement. Je ne pouvais pas croire que cet homme, Jonathan, soit aussi horrible qu'il en avait l'air. Mon instinct de chat me disait qu'il était plus malheureux que méchant. Après tout, quand la femme était partie, il s'était retrouvé tout seul, et je savais combien c'était affreux.

Je me suis dépêché de retourner chez Claire pour la voir avant qu'elle ne parte au travail. J'ai tout de suite deviné qu'elle avait pleuré, car elle a mis plein de crème et de poudre sur son visage pour le cacher. Une fois qu'elle a eu fini de se pomponner (ce qui lui prenait beaucoup plus de temps qu'à moi), elle m'a nourri, m'a cajolé avant de prendre son sac et de quitter la maison. Je l'ai accompagnée jusqu'à la porte et je me suis frotté contre ses jambes en miaulant, essayant de lui faire comprendre que j'étais là pour elle. J'aurais tellement aimé faire plus pour qu'elle se sente mieux.

— Alfie, qu'est-ce que je ferais sans toi ? a-t-elle dit avant de partir.

Que pouvais-je espérer de mieux ? Je n'étais pas peu fier. Après avoir été rejeté si cruellement par Jonathan, c'était agréable de se sentir apprécié. J'étais en train de tomber amoureux de cette jeune femme triste et je savais au fond de moi qu'il fallait que je l'aide. Les gens nous accusent, nous les chats, d'être égocentriques et égoïstes, mais c'est souvent loin d'être le cas. J'étais un chat qui voulait aider ceux qui en avaient besoin. J'étais un chat gentil, aimant, investi d'une nouvelle mission : aider les gens.

J'aurais sans doute dû laisser Jonathan et le numéro 46 tranquilles, mais quelque chose m'attirait là-bas. Ma Margaret disait souvent que les gens en colère étaient des gens tout simplement malheureux, et c'était la personne la plus sage que j'aie rencontrée.

Quand je suis arrivé chez elle, Agnès était vraiment furieuse, et Margaret a expliqué que c'était parce qu'elle avait peur que je prenne sa place. Agnès me l'a confirmé, quand elle a fini par se dérider et par m'accepter. J'ai appris alors que la colère et la tristesse allaient souvent de pair.

Je suis donc retourné au numéro 46. La voiture n'était pas garée devant la villa, la voie était libre. Plein de courage, je suis passé par la chatière et j'ai fait le tour de la maison. J'avais eu raison : elle était immense et aurait pu facilement accueillir une grande famille, mais, après l'avoir visitée, j'ai compris que c'était un espace exclusivement masculin. Il n'y avait aucune douceur, aucun motif floral, pas de rose. C'était le règne du verre et du chrome ; des surfaces brillantes partout. Son canapé ressemblait à ceux que j'avais vus dans les vitrines de magasins de meubles chics devant lesquels j'étais passé durant mon périple. Il était crème avec un cadre en métal, ce qui n'aurait jamais convenu à des enfants, ni à un chat, d'ailleurs. Ça ne m'a pas empêché de le tester. Je l'ai traversé de long en large une ou deux fois et j'étais satisfait. Mais rassurez-vous : j'avais les pattes propres, je n'étais quand même pas si méchant que ça ! Je suis ensuite monté à l'étage, où j'ai trouvé quatre chambres. Deux d'entre elles étaient dotées de lits, la troisième avait été transformée en bureau et la quatrième était remplie de cartons. Aucune touche personnelle dans cette maison. Pas de photos rappelant des événements heureux, rien qui puisse suggérer que quelqu'un vivait ici en dehors des meubles. Elle semblait aussi froide que l'effrayant et imposant frigo américain.

Je me suis dit que ce Jonathan représentait un défi que je me sentais prêt à relever. Après m'être débrouillé seul dans la rue, je savais de quoi j'étais capable. Cet homme ne m'aimait pas, à l'évidence ; il détestait les chats en général, mais ce n'était pas une expérience nouvelle pour moi. J'ai repensé à Agnès, j'ai revu sa petite tête presque toute noire, et j'ai souri. Elle me manquait tellement. Comme si j'avais perdu une partie de mon être.

Agnès était aux antipodes de moi. Elle était vieille et très douce. Elle passait la plupart de ses journées assise devant la fenêtre, sur un coussin spécial, et contemplait le monde depuis son poste d'observation.

Quand je suis arrivé, je n'étais qu'une petite boule de poils espiègle, et elle avait pris ombrage de ma présence.

— Si tu crois que tu vas pouvoir rester dans ma maison, tu peux toujours rêver, a-t-elle sifflé la première fois que je l'ai vue.

Elle a essayé de m'attaquer une ou deux fois, mais j'étais beaucoup trop rapide pour elle, et Margaret la réprimandait et me cajolait deux fois plus, me donnant des friandises pour chats et m'achetant des jouets. Agnès a fini par m'accepter, à contrecœur d'abord et à condition que je ne l'embête pas. Puis, elle a succombé à mon charme ; j'avais réussi à la gagner à ma cause. Quand le véto a dit qu'elle allait bientôt rejoindre le paradis des chats, nous étions devenus une vraie famille et nous nous aimions. J'ai ressenti une douleur physique lorsque j'ai repensé à Agnès qui me faisait ma toilette exactement comme ma mère l'avait fait quand j'étais tout petit.

Si j'avais réussi à séduire l'intimidante Agnès, alors, Jonathan serait sûrement « un jeu de chat » pour moi, non ?

Après avoir visité toute la maison, me demandant ce qu'il allait faire de tout cet espace, j'ai décidé de sortir pour lui chercher un présent. Bien que la chasse ne fût pas mon passe-temps favori, je voulais me lier d'amitié avec lui, et c'était le seul moyen qui me venait à l'esprit pour lui faire part de mes intentions.

Les amis chats que j'avais rencontrés durant mon périple m'avaient donné des indications contradictoires. Certains rapportaient constamment des cadeaux à leurs maîtres, même si parfois ces derniers étaient furieux. D'autres, comme moi, étaient plus astucieux et réservaient leurs présents pour des occasions spéciales. C'était après tout notre façon de témoigner notre affection. Et je supposais que Jonathan était un homme qui aimait chasser. Comme il m'avait tout l'air d'être un mâle dominant, j'étais pratiquement sûr qu'il allait apprécier mon cadeau. Ça lui montrerait que nous avions quelque chose en commun.

Je suis passé voir Tigresse et je lui ai demandé si elle voulait se joindre à moi.

— J'étais en train de dormir. Tu ne peux pas chasser la nuit comme tous les chats ? a-t-elle soupiré, mais elle a quand même accepté, à contrecœur, de venir avec moi.

Elle avait raison : les chats chassent normalement la nuit, mais j'avais appris durant mon périple qu'on pouvait aussi trouver des proies durant la journée et, pour ma part, je préférais cela. Je me suis mis à rôder dans la rue et je n'ai pas tardé à repérer une souris bien appétissante. Je me suis tapi dans l'herbe, prêt à bondir, puis je me suis rué sur elle. La souris courait dans tous les sens, j'avais le plus grand mal à l'attraper avec mes pattes. Je donnais des coups d'un côté, de l'autre, mais elle continuait à m'échapper.

— Quel piètre chasseur tu fais ! a dit Tigresse qui me regardait, un peu à l'écart.

— Tu ferais mieux de m'aider, ai-je sifflé, mais elle s'est remise à rire.

Finalement, à bout de patience, j'ai failli renoncer, mais j'ai constaté que la souris était à bout... de souffle. J'ai bondi une dernière fois et j'ai réussi à la coincer entre mes pattes.

— Tu veux m'accompagner jusque chez Jonathan ? ai-je demandé à Tigresse.

— Oui, j'ai très envie de voir ta deuxième maison, a-t-elle répondu.

J'ai décidé que je n'allais pas décapiter la souris, le but étant de me faire aimer de Jonathan. Je l'ai portée avec précaution dans ma gueule, j'ai franchi la chatière et je l'ai déposée devant la porte d'entrée, bien en évidence ! Si seulement j'avais su écrire ! J'aurais laissé un mot : *Bienvenue dans ta nouvelle maison*. Il ne me restait plus qu'à espérer que Jonathan comprendrait mon gentil message !

8

Il était déjà tard quand je suis rentré au numéro 78, parce que Tigresse et moi étions tapis sous les buissons. Nous avons joué avec les feuilles mortes en attendant le retour de Jonathan. Mais le ciel a commencé à s'assombrir et j'avais vraiment faim. Comme j'avais renoncé à la souris que j'avais chassée pour l'offrir à Jonathan, je n'avais pas mangé depuis le petit-déjeuner. À contrecœur, je suis retourné chez Claire.

Je suis entré par la chatière et j'ai trouvé Claire dans la cuisine.

— Salut, Alfie, a-t-elle dit en se penchant pour me caresser. Où étais-tu aujourd'hui ? a-t-elle demandé.

J'ai répondu en ronronnant. Elle a ouvert le placard et en a sorti une boîte de terrine pour chats, puis elle a ouvert une brique de lait spécial.

Ce n'est pas de refus, ai-je pensé en attaquant mon repas. Après avoir terminé de manger, je me suis pourléché les moustaches avec soin tout un regardant Claire ranger. Tous les jours, j'en apprenais un peu plus sur ma nouvelle maîtresse. Même si elle semblait très déprimée, elle ne se laissait nullement aller. Elle était très propre et très ordonnée. Voilà qui expliquait l'horrible bain qu'elle m'avait imposé. Elle ne laissait jamais un verre vide traîner dans l'évier à la cuisine. Tout était lavé et rangé. Il en allait de même avec ses vêtements. La maison était impeccable et elle nettoyait toutes les surfaces fréquemment. Un peu trop fréquemment, si vous voulez mon avis.

Elle m'avait acheté deux gamelles spéciales qu'elle posait par terre pour moi, mais, dès que j'avais fini de manger, elle les ramassait, les nettoyait immédiatement, puis elle aspergeait le sol de produit et lavait par terre. J'étais un chat très tatillon en matière d'hygiène corporelle, mais, depuis que je vivais avec Claire, je faisais encore plus souvent ma toilette. Je ne voulais pas qu'elle pense que je n'étais pas digne de sa maison impeccable. Et je ne voulais surtout pas d'un autre bain.

Tous les jours, quand elle rentrait du travail (elle m'avait expliqué qu'elle travaillait dans un grand bureau et qu'elle faisait du « marketing »), elle prenait une douche. Elle se plaignait toujours de la crasse de Londres. Après quoi, elle se mettait en pyjama, se servait quelque chose à boire, puis allait s'asseoir sur le canapé. Ensuite, elle se mettait à pleurer. C'était presque devenu une routine depuis mon arrivée.

Elle mangeait, oui, mais très peu. Et je ne pouvais m'empêcher de remarquer qu'elle était extrêmement maigre, un peu comme moi quand je m'étais installé ici. J'aurais aimé lui faire comprendre qu'il fallait qu'elle mange davantage, mais je ne savais pas comment m'y prendre.

Elle semblait boire beaucoup, dans un joli verre, il est vrai. Il y avait toujours une bouteille de vin au frais et, en général, elle la vidait dans la soirée. Ça me rappelait les SDF qui avaient menacé de me manger. Je savais qu'elle n'était pas comme eux, mais Bouton m'avait expliqué le concept humain d'ivresse, et je pense que Claire passait la plupart de ses soirées un peu ivre. Après tout, c'était en général après avoir bu deux verres qu'elle se mettait à pleurer. Même si j'allais toujours la consoler, je ne pouvais rien faire pour l'empêcher de boire. Ça me faisait de la peine, car j'aurais tellement aimé la faire rire ou au moins faire sécher ses larmes.

J'avais essayé de jouer à cache-cache derrière les rideaux pour l'amuser, mais elle s'était comportée comme si j'étais invisible. J'étais même tombé un soir du rebord de la fenêtre pour l'égayer, mais elle n'avait même pas remarqué et, pourtant, j'avais crié de douleur. J'avais essayé de pleurer avec elle, de ronronner, de frotter ma petite tête chaude contre la sienne, de la laisser jouer avec ma précieuse queue, mais en vain. Quand elle était très triste, elle se coupait de tout, même de moi.

Le soir, lorsqu'elle allait se coucher, je la suivais dans la chambre et dormais sur un fauteuil à côté d'elle. Comme elle avait mis une couverture dessus pour moi, il était parfaitement confortable, et ainsi je pouvais garder un œil sur elle. Je somnolais un peu, mais je passais la majeure partie de la nuit à la regarder dormir, essayant de lui faire sentir qu'elle n'était pas toute seule. Quand le réveil sonnait le matin, je sautais doucement sur le lit et lui léchais le nez. Je voulais qu'elle se sente aimée dès le réveil, tous les jours, exactement comme moi.

Pourtant, il m'arrivait d'être triste, moi aussi.

C'était éprouvant de sans cesse se faire du souci pour Claire, mais j'espérais que, si je faisais tout mon possible pour l'aider, je finirais par savoir comment m'y prendre. La réponse devait être là quelque part.

Ce soir-là, nous venions de nous installer au salon, elle avec son verre, moi avec mon jouet à l'herbe à chats qu'elle m'avait gentiment acheté, quand la sonnette a retenti. Elle s'est levée pour aller ouvrir la porte, mais elle avait l'air plutôt surprise. Montrant que j'étais là pour la protéger, je l'ai suivie, frôlant ses jambes pendant qu'elle avançait. Un homme se tenait sur le seuil. Je me suis d'abord demandé si c'était l'homme de la photo, mais, réflexion faite, non. Il m'était néanmoins familier parce que je l'avais vu lui aussi sur des photos. C'était Tim, le frère de Claire. Elle ne semblait pas franchement ravie de le voir.

— Ah ! ça y est ! On est déjà en plein dans le cliché ! a-t-il dit.

— De quoi tu parles ? a-t-elle demandé d'un ton hargneux.

— Des femmes célibataires et des chats. Désolé, Claire, je plaisante !

Il a souri. Pas Claire. Moi non plus, d'ailleurs. Nous nous sommes tous les deux écartés pour le laisser entrer.

— Qu'est-ce que tu fais là, Tim ? a-t-elle demandé en lui faisant signe de s'asseoir.

Je suis resté près d'elle.

— Quoi ? Je ne peux pas rendre visite à ma sœur ? a-t-il répondu.

Il a essayé de me caresser, mais j'ai fait le gros

dos et je me suis éloigné de lui. Je ne savais pas encore si c'était un ami ou un ennemi.

— Qui est-ce ? a-t-il demandé.

— Il s'appelle Alfie. Il a été livré avec la maison, en quelque sorte. Mais dis-moi : pourquoi ne m'as-tu pas prévenue de ta visite ? Ne me dis pas que tu passais juste comme ça ! On n'habite pas à cinq minutes l'un de l'autre.

— Peut-être, mais ce n'est pas si loin non plus : une heure et demie, tout au plus. Je suis venu sous l'impulsion du moment.

Claire s'est assise dans un fauteuil sans le quitter des yeux. J'ai sauté sur ses genoux tout en essayant de lancer un regard dédaigneux à Tim. Je ne suis pas certain d'avoir réussi mon coup, néanmoins. Parfois, c'est dur d'être mignon ! Les gens et les chats ne me prennent pas au sérieux.

— Pourquoi n'as-tu pas appelé, au moins ? a-t-elle insisté.

— D'accord, je vais aller droit au but ! Tu ne veux même pas m'offrir un verre ? a-t-il demandé.

Elle a secoué vigoureusement la tête.

— C'est maman qui m'a demandé de venir. Elle se fait du souci pour toi. Tu sais, ça ne fait que six mois que Steve t'a quittée, et tu as déjà vendu ta maison, déménagé à quatre heures de ta ville natale. Tu as tout laissé, papa, maman, tes amis, ton job, pour venir à Londres – pas franchement une ville accueillante –, où tu n'as jamais vécu et où tu ne connais personne. Bien sûr qu'on est inquiets. On se fait un sang d'encre, même ! Et maman est dans tous ses états.

— Eh bien, vous pouvez arrêter de vous inquiéter ! Regardez-moi, je vais parfaitement bien.

Son visage et sa voix trahissaient sa colère.

— Claire, quand je *te* regarde, tu ne m'as pas du tout l'air d'aller bien.

Claire a soupiré.

— Tim, il fallait que je parte. Tu ne peux donc pas essayer de comprendre ? Steve m'a quittée pour une autre femme, et ils vivent tout près de mon ancienne maison et de celle de papa et maman. Je ne pourrais pas supporter de le voir tous les jours, ce qui aurait été le cas si j'étais restée. Je crois que vous devriez tous être fiers de moi. Je lui ai donné le divorce rapide qu'il voulait. Je n'ai pas fait d'histoires. J'ai vendu notre maison, je me suis trouvé un très bon job et j'ai acheté cette maison. J'ai fait tout ça alors que j'avais le cœur brisé.

Elle s'est tue et a essuyé les larmes qui coulaient sur sa joue. Je me suis blotti tout contre elle.

— Et c'est très bien, Claire.

Tim parlait d'une voix plus douce.

— Mais nous sommes quand même inquiets ! Tu t'es très bien débrouillée, c'est sûr. Malgré tout, tu es malheureuse, et maman trouve que tu es partie trop loin de nous. Tu ne pourrais pas me faire une faveur et rentrer au moins pour le week-end, bientôt ? Juste pour rassurer maman.

J'ai trouvé que ça serait plutôt une bonne idée. Claire aurait ainsi l'occasion de voir sa famille et j'aurais de mon côté le temps d'explorer un peu plus sans avoir à me soucier d'elle. Était-ce de l'égoïsme de ma part ? J'osais espérer que non.

— Écoute, Tim. Faisons un marché : je viendrai

passer un week-end à la maison, si tu me promets de dire à maman que j'étais en forme !

— D'accord, frangine, ça sera fait ! Mais, dis-moi, tu ne pourrais pas au moins me faire un thé avant que je reprenne la route ? Ce n'est quand même pas à côté.

J'ai décidé de me rapprocher de Tim quand j'ai compris qu'il ne voulait au fond que le bien de sa sœur. Nous avons joué avec quelques-uns de mes jouets et il n'a pas eu peur de se mettre à quatre pattes pour s'amuser avec moi ! J'ai apprécié. Je me suis mis sur le dos, les pattes en l'air, et je l'ai laissé me gratter le ventre ! Un de mes câlins préférés ! Tandis que nous jouions, il m'a demandé de prendre soin de sa sœur et j'ai essayé de lui faire comprendre que j'en avais bien l'intention. J'ai senti le poids de la responsabilité, mais j'étais prêt à l'endosser. Nous l'avons ensuite raccompagné jusqu'à la porte et lui avons fait signe. Je me suis alors demandé si je ne pourrais pas aller faire un tour chez Jonathan, mais Claire m'a pris dans ses bras et m'a emmené dans sa chambre.

9

Quand je suis arrivé au numéro 46, il faisait à peine jour. Claire m'a dit qu'elle commençait tôt ce matin-là, et, bien qu'elle ait pris le temps de me laisser à manger, elle est partie en vitesse sans même un geste d'affection pour moi. J'ai essayé de ne pas m'offusquer. Les humains sont ainsi. Ils ont beaucoup plus à faire que nous autres les chats. Pourtant, ce départ précipité m'a conforté dans ma détermination à trouver plusieurs maîtres pour s'occuper de moi.

Je suis passé par la chatière. La maison était silencieuse, c'était presque sinistre. Elle était aussi plongée dans l'obscurité, tous les rideaux étaient tirés, tous les stores, baissés. Comme nous vivons principalement la nuit, nous voyons très bien dans l'obscurité et nous utilisons nos autres sens pour nous repérer et avancer. J'étais devenu un véritable expert dans l'art d'esquiver les dangers, à la fois intérieurs (les meubles) et extérieurs (les arbres et les autres animaux).

Je me suis demandé l'espace d'un instant ce que ça serait d'être dans la peau de Jonathan. Vivre seul dans un si grand espace. Ça n'avait aucun sens pour moi. Quand je me couchais dans ma corbeille, dans mon ancienne maison, je me blottissais contre un bord pour me sentir parfaitement à l'aise. Mais j'étais encore plus heureux lorsque j'ai pu dormir dans la même corbeille qu'Agnès, une fois qu'elle m'a eu accepté. J'avais si chaud et je me sentais si bien quand je me lovais contre elle. Comme cela me manquait ! Je me suis demandé si Jonathan ressentait la même chose et si cela pouvait expliquer la présence de la femme dans sa maison, la veille. Se faisaient-ils des câlins, se blottissaient-ils l'un contre l'autre comme Agnès et moi ? Pourtant, elle ne risquait pas de revenir s'il ne se montrait pas plus gentil avec elle.

J'étais assis dans l'entrée en bas de l'escalier. Parmi les nombreux défauts de la maison de Jonathan, c'était sans doute l'absence de tapis qui me contrariait le plus. Tous les sols étaient en bois, ce qui peut aussi être très amusant pour un chat. J'avais déjà découvert les plaisirs de la glisse sur le derrière ! Mais ces sols avaient l'inconvénient d'être froids, et j'aimais bien gratter les tapis, en plus ! Je ne pouvais même pas jouer avec les rideaux puisqu'il n'y avait pas de voiles, mais des stores rigides. J'ai réalisé, encore une fois, que ce n'était pas vraiment une maison pour un chat. Pourtant, quelque chose m'attirait ici.

Après une éternité, Jonathan est apparu dans l'escalier. Il était tout ébouriffé et portait encore son pyjama. Il avait l'air fatigué et tout dépenaillé. Un peu comme moi avant une bonne toilette. Il s'est arrêté et m'a regardé droit dans les yeux. Il n'avait pas l'air content de me voir.

— S'il te plaît, dis-moi que ce n'est pas toi qui as

laissé une souris morte sur mon paillasson, a-t-il dit avec humeur.

Je me suis mis à ronronner comme pour dire : « Tout le plaisir a été pour moi. »

— Fichu chat ! Je t'ai pourtant bien dit la dernière fois que je ne voulais pas de toi ici.

Il semblait vraiment furieux quand il est passé devant moi pour aller à la cuisine. Il a sorti une tasse du placard et a appuyé sur les boutons d'une machine. J'ai regardé la tasse se remplir de café. Ensuite, il s'est approché du frigo, qui ressemblait à un vaisseau spatial, et a sorti du lait. Pendant qu'il en versait un peu dans sa tasse, je me suis léché les babines, plein d'espoir. Il m'a ignoré. J'ai miaulé à pleins poumons.

— Si tu crois que je vais te donner du lait, tu peux toujours courir, a-t-il dit d'un ton hargneux.

Franchement, il cherchait vraiment à se faire désirer. Je me suis remis à miauler pour lui montrer ma désapprobation.

— Je n'ai pas besoin d'un animal de compagnie, a-t-il poursuivi tout en buvant une gorgée de café. J'ai besoin d'un endroit calme et tranquille pour remettre un peu d'ordre dans ma vie.

J'ai dressé les oreilles pour montrer mon intérêt.

— Je n'ai pas besoin de souris mortes sur le pas de ma porte, non, merci. Je ne veux pas être dérangé.

J'ai ronronné cette fois pour essayer de le gagner à ma cause.

— C'est déjà suffisamment dur de se retrouver dans ce pays froid !

Il m'a regardé comme s'il était en train de parler

à un humain. Je voulais lui dire qu'il ne faisait pas si froid ; après tout, on était en plein été. Il a repris :

— Singapour me manque. La chaleur me manque, le mode de vie. J'ai fait l'erreur de revenir ici. Pas de job, pas de compagne.

Il s'est interrompu pour boire une gorgée de café. J'ai plissé les yeux, tandis qu'il recommençait à se confier :

— Oh oui, elle m'a quitté dès que j'ai perdu mon poste. Pendant trois ans, je lui ai payé tout ce qu'elle voulait, et elle n'a pas pu passer un jour auprès de moi pour me consoler ; non, elle est tout de suite partie. Oui, j'ai eu de la chance d'avoir suffisamment d'argent pour acheter cette maison, mais il est vrai qu'on n'est pas à Chelsea, ici. Je ne savais pas vraiment ce qu'était Chelsea, mais j'ai fait comme si j'étais d'accord avec lui.

J'ai levé triomphalement la queue ; j'étais heureux. J'avais raison : il était triste et seul, il n'était pas seulement grognon (même s'il l'était indubitablement). J'ai vu une ouverture possible. Un espoir faible peut-être, mais un espoir quand même. Jonathan avait besoin d'un ami et je ferais un excellent ami pour lui.

— Et pourquoi suis-je en train de parler à un fichu chat ? Comme si tu pouvais comprendre !

Il ne sait pas ce qu'il dit, ai-je pensé pendant qu'il buvait le reste de son café. Pour lui montrer que je comprenais bel et bien, j'ai caressé ses jambes avec mon dos arqué, lui donnant l'affection dont il avait tant besoin, à mon avis. Il a paru surpris, mais il ne s'est pas immédiatement éloigné. J'ai décidé de forcer ma chance et j'ai bondi sur ses genoux. Il a presque sursauté. Mais, juste au moment où il semblait sur le point de s'adoucir, il s'est raidi.

— Bon, je vais téléphoner à tes maîtres et leur dire qu'ils doivent venir te chercher, a-t-il dit avec colère.

Il a pris doucement la petite plaque en métal dans sa main, puis, comme Claire l'avait fait quelque temps auparavant, il a composé le numéro qui figurait dessus. Quand il a constaté que la ligne avait été coupée, il a exprimé sa désapprobation et a paru franchement contrarié.

— Mais où vis-tu, à la fin ?

J'ai incliné la tête en le regardant.

— Écoute, il faut que tu rentres chez toi. Je ne peux pas passer toute ma journée à m'occuper de toi. J'ai un job à chercher et une chatière à condamner.

Il m'a regardé avec des yeux méchants avant de s'éloigner. J'étais pourtant beaucoup plus optimiste que la première fois. Premièrement, il avait commencé à me parler, ce qui était bon signe. Deuxièmement, il ne m'avait pas jeté dehors. Il était parti en sachant que j'étais encore dans sa maison. Peut-être commençait-il à m'apprécier, après tout. Cet homme aboyait, mais il ne mordait pas, j'en étais de plus en plus convaincu. Un peu hésitant, je l'ai suivi à l'étage en prenant soin de ne pas le déranger pendant que je visitais le reste de la maison. Voulant absolument en savoir plus sur lui, je me suis dit que ça serait une bonne idée de l'observer.

C'était un homme grand et mince. Je prenais soin de mon apparence et, à première vue, Jonathan aussi. Nous avions au moins un point commun. Il a pris une très longue douche dans une pièce adjacente à sa chambre, puis, quand il est sorti, il a ouvert un long placard mural et a sorti un costume. Une fois habillé, il était très élégant, comme les hommes dans les vieux films en noir et blanc que ma Margaret aimait tant. Elle disait qu'ils étaient suaves et beaux comme tous les hommes devraient l'être. Et je dois dire qu'elle aurait certainement apprécié le look de Jonathan. Je suis redescendu discrètement au rez-de-chaussée, veillant à ce qu'il ne me surprenne pas en train de l'observer, puis j'ai attendu de nouveau en bas de l'escalier.

— Tu es toujours là, Alfie ? a-t-il dit, mais il ne semblait pas aussi hostile qu'auparavant.

Je me suis mis à miauler en guise de réponse. Il a secoué la tête, mais il venait de m'appeler par mon prénom et ça m'a fait chaud au cœur.

Il a ouvert le placard sous l'escalier, dans lequel il y avait une rangée de chaussures noires et brillantes. Il en a choisi une paire. Il s'est assis sur une marche pour les enfiler, puis a pris une veste sur le portemanteau. Il a ensuite récupéré ses clés sur la console dans l'entrée.

— Bon, Alfie, je suppose que tu connais le chemin. Je n'ai pas besoin de te raccompagner ? J'espère que tu ne seras plus là à mon retour. Et surtout ne laisse pas d'animal mort sur le pas de ma porte !

Lorsqu'il a fermé la porte derrière lui, j'ai étiré mes pattes ! J'étais ravi. Je savais que je pourrais aider Jonathan. Il était triste, furieux et seul et, comme Claire, il avait vraiment besoin de moi, sauf qu'il ne l'avait pas encore réalisé.

Il n'avait vraiment pas mis longtemps à s'adoucir. Je me suis demandé ce que je pourrais faire pour le séduire et j'ai pensé que, malgré ses protestations, il fallait que je lui fasse un autre présent. Mais pas une souris, cette fois. Quelque chose de plus joli. Un oiseau ! Mais oui, bien sûr ! J'allais lui ramener un oiseau. Après tout, il n'y avait rien de tel qu'un oiseau mort pour dire « Soyons amis ».

Plus tard dans l'après-midi, j'ai déposé l'oiseau sur le paillasson comme je l'avais fait avec la souris. Jonathan comprendrait certainement que je voulais être son ami. Comme j'étais plutôt de bonne humeur, j'ai décidé de marcher jusqu'au bout de la rue et de prendre le soleil. Il ne faisait pas particulièrement chaud, mais c'était une belle journée et il suffisait de trouver un endroit bien exposé pour se dorer au soleil. J'ai trouvé la place idéale devant l'une des maisons modernes les plus moches de la rue. Elle avait été divisée en deux appartements. Les portes d'entrée étaient côte à côte, 22A et 22B, et semblaient parfaitement identiques.

Devant chacune d'elles, il y avait un panneau indiquant LOUÉ, accompagné d'un logo que j'avais souvent vu dans la rue. J'ai apprécié mon petit bain de soleil. Les appartements semblaient encore inhabités, mais je me suis promis de revenir. Je savais que des gens allaient bientôt s'installer. Ma vie me paraissait encore un peu trop précaire.

Claire m'aimait, mais elle n'était pas à la maison pendant la journée et elle allait partir tout le week-end. Quant à Jonathan, je n'étais encore sûr de rien avec lui. J'étais certes déterminé à le séduire, mais rien n'était encore joué. Il me fallait d'autres options.

Je savais que j'étais capable de me débrouiller tout seul. Pourtant, ce mode de vie ne convenait pas à un chat comme moi. Je ne voulais pas être sauvage, je ne voulais pas passer mon temps à me battre. Je voulais pouvoir me coucher sur les genoux de mon maître ou de ma maîtresse, sur une couverture bien chaude aussi ; je voulais qu'on me donne des terrines pour chats, du lait et de l'affection. J'étais fait pour cette vie de chat. Je ne pouvais rien y changer et je n'en avais d'ailleurs nullement l'intention.

Le souvenir des nuits froides et solitaires des mois derniers était encore bien frais dans mon esprit : la peur qui ne me quittait jamais, la faim, l'épuisement. Je ne pourrais plus supporter de vivre ainsi et je n'oublierais jamais cette période. J'avais besoin d'une famille, j'avais besoin d'amour et de sécurité. C'était ce que je souhaitais le plus au monde et je n'en demandais pas davantage.

Quand le soleil a commencé à décliner dans le ciel, j'ai rebroussé chemin. Je me suis dit que la vie était vraiment bizarre, parfois. Je me suis senti si seul après la mort d'Agnès que je suis tombé malade. Elle me manquait terriblement, je dépérissais et ma maîtresse m'a emmené chez le vétérinaire tant redouté. J'avais arrêté de me nourrir et de faire mes besoins. Kathie, la véto, a dit que j'avais une infection urinaire. Tout en m'examinant, elle a expliqué que c'était à cause du chagrin. Margaret semblait surprise. Elle n'aurait jamais cru que des chats puissent ressentir des émotions comme les humains. Ce n'était peut-être pas tout à fait la même chose, mais c'était quand même difficile. J'avais tellement souffert de la mort d'Agnès que j'en étais tombé malade. Claire souffrait à cause de Steve, l'homme en costume, et Jonathan souffrait parce qu'il avait dû quitter « Singapour ». Je voyais leur chagrin, car je l'avais moi-même ressenti. J'ai décidé que je serais toujours là pour eux, comme n'importe quel chat digne de ce nom le ferait à ma place.

10

Je suis passé voir Tigresse vers midi, car je voulais lui montrer les appartements au numéro 22. Nous avons pris notre temps pour aller jusqu'au bout de la rue. Tigresse n'était pas du genre à se dépêcher quand ça n'était pas nécessaire. Nous nous sommes même arrêtés pour taquiner un gros chien très laid qui était enfermé dans le jardin à l'avant de la maison. Le but du jeu était d'aller jusqu'au portail, de passer une patte à travers les grilles pour pousser le chien à bondir sur nous, puis de reculer à toute vitesse. Ça nous a beaucoup amusés.

Le chien était vraiment furieux. Il aboyait de toutes ses forces et grondait en nous montrant les dents. Quelle rigolade ! Le cabot essayait de sauter en l'air, mais chacun sait que les chats peuvent sauter beaucoup plus haut que les chiens. C'était si drôle que je ne m'en lassais pas, mais finalement Tigresse a voulu arrêter.

— Je crois qu'on l'a assez embêté, a-t-elle dit.

J'ai décoché mon plus beau sourire de chat au chien avant de reprendre ma route. S'il avait été libre, il n'aurait pas réfléchi à deux fois : il nous aurait foncé dessus, nous aurait poursuivis et fichu une sacrée frousse ! Il en est ainsi.

Quand nous sommes arrivés devant les appartements au numéro 22, ils étaient toujours vides. Pourtant, lorsque nous nous sommes approchés du petit carré de pelouse à l'avant, Tigresse m'a dit que j'avais raison de vouloir tenter ma chance ici. Nous avons décidé de rentrer à la maison en jouant les équilibristes sur les clôtures pour changer un peu. Nous avons chassé quelques oiseaux en cours de route pour pimenter notre retour. Quel après-midi agréable !

J'ai fait une petite sieste et j'ai attendu le retour de Claire, qui semblait ravie de me trouver à la maison. Elle m'a adressé un grand sourire.

— Alfie, nous avons de la visite ce soir ! a-t-elle dit d'une voix enthousiaste.

Elle est partie prendre une douche. Elle est revenue quelques instants plus tard, vêtue d'un pull et d'un jean. Le pyjama était resté au placard pour le moment. Elle s'est mise à cuisiner et, même si elle s'était servi un verre de vin, pour une fois, elle ne s'est pas mise à pleurer.

Elle m'a donné à manger, m'a caressé, puis a sorti des légumes du frigo et les a mis dans une poêle après les avoir coupés. Je ne l'avais jamais vue aussi heureuse. Elle fredonnait tout en préparant son repas et je me suis demandé si l'homme de la photo allait passer la voir. J'avais un peu peur pour elle, mais je préférais rester optimiste.

La sonnette a retenti et elle s'est ruée vers la porte pour ouvrir à son invité mystère. Une jeune femme, du même âge que Claire à peu près, se tenait sur le seuil. Elle lui a tendu des fleurs et une bouteille de vin.

— Salut, Tasha ! Entre ! a dit Claire en souriant.

— Salut, Claire ! Quelle jolie maison ! s'est exclamée Tasha d'une voix joyeuse en entrant.

Je les ai observées. Pendant que Tasha enlevait son manteau, Claire lui a demandé si elle voulait prendre un verre de vin avant qu'elles ne passent à table.

— Tu es la première à me rendre visite, a dit Claire.

Je me suis senti un peu exclu. N'était-ce pas plutôt moi, le premier ?

— Alors, trinquons à cette première visite, et bienvenue à Londres. C'est sympa de se voir en dehors du bureau.

— C'est toujours aussi trépidant au boulot ? a demandé Claire.

— Oui, et parfois c'est encore pire que ces derniers jours, a répondu Tasha en riant.

Elle m'a immédiatement plu. Je me suis installé sous la table et me suis frotté contre ses jambes. Elle m'a récompensé en caressant ma queue d'une manière très agréable. Je voulais que Claire et Tasha deviennent amies pour qu'elle puisse être mon amie à moi aussi. J'avais raison : la visite de Tasha semblait faire le plus grand bien à Claire, qui, pour une fois, a mangé avec appétit. J'espérais de tout mon cœur qu'elle venait de franchir un cap. Quand j'ai fini par m'habituer à l'absence d'Agnès, j'ai retrouvé l'appétit. Peut-être se passerait-il la même chose pour Claire ?

— Alors, dis-moi ce qui t'a amenée à Londres, a dit Tasha.

— C'est une longue histoire, a fait Claire, et elle a rempli leurs deux verres de vin avant de commencer son récit.

Je suis resté tranquille sous la table, blotti contre les jambes de Tasha qui me tenaient bien au chaud, et j'ai écouté Claire raconter les événements récents qui l'avaient poussée à déménager. Petit à petit, les pièces du puzzle se mettaient en place. Parfois, sa voix changeait, mais je savais qu'elle ne pleurait pas. Son timbre trahissait tantôt sa tristesse, tantôt sa colère.

— J'ai épousé Steve alors que nous étions ensemble depuis trois ans. Nous avons emménagé dans le même appartement au bout de deux ans et c'est à ce moment qu'il a demandé ma main.

— Tu t'es mariée il y a longtemps ? a demandé Tasha.

— Il y a un peu plus d'un an. Pour être honnête, je n'avais pas eu beaucoup de chance en amour, jusque-là. Maman a toujours dit que je n'étais pas très précoce dans ce domaine. Je n'ai pas eu de relation sérieuse avant d'entrer à l'université ! Puis, j'ai rencontré Steve. Je vivais à Exeter, dans le Devon, et je travaillais dans un cabinet-conseil en marketing. J'ai fait la connaissance de Steve à une fête. Il était beau et adorable. J'ai tout de suite craqué pour lui.

— Je vois, a dit Tasha en vidant son verre et en se resservant.

— Pour moi, c'était l'homme parfait. Il était drôle, gentil et charmant. Et, quand il a demandé ma main, j'étais vraiment aux anges. J'allais avoir trente-cinq ans, je rêvais d'avoir des enfants et il était d'accord. On a dit qu'après notre mariage et notre voyage de noces, on essaierait d'avoir un bébé.

Claire a essuyé une larme. Je ne l'avais jamais vue aussi forte, mais sa tristesse imprégnait la pièce.

— Tu es sûre de vouloir me raconter tout ça ? a demandé doucement Tasha.

Claire a hoché la tête et a bu une gorgée de vin avant de poursuivre.

— Désolée, j'en ai très peu parlé jusqu'à présent.

— Je t'en prie, ne t'excuse surtout pas.

Tasha était décidément une femme comme je les aime.

— Puis, trois mois après le mariage, environ, il a changé. Il est devenu lunatique, colérique, et, chaque fois que je lui demandais ce qui n'allait pas, il me répondait agressivement. J'en étais arrivée au point de ne plus oser parler dans ma propre maison.

En écoutant l'histoire de Claire, je suis passé par toutes les émotions : la tristesse, la colère, l'amour. J'avais de plus en plus d'affection pour cette femme qui m'avait recueilli. Si je venais un jour à croiser la route de cet homme affreux, je ne manquerais pas de lui griffer le visage. Et Dieu sait que je n'étais pas un chat violent !

— Environ huit mois après le mariage, il m'a dit qu'il avait fait une terrible erreur. Il était tombé amoureux de quelqu'un d'autre. Il m'a quittée et a emménagé avec elle. Je la connaissais de vue ; elle travaillait dans la salle de sport qu'il fréquentait. Quel cliché !

— Je serais plutôt tentée de dire : quel pauvre type ! a rectifié Tasha.

— Je sais, mais je me sens vraiment bête. Je croyais que c'était l'homme de ma vie et je n'ai rien vu venir alors qu'il devait me tromper depuis des mois. Et c'est pour ça que j'ai déménagé. Ils vivaient dans le même coin que moi. Exeter est une petite ville, et je savais que j'allais constamment les croiser. Je ne pouvais pas supporter cette idée.

Je comprenais enfin pourquoi Claire était venue ici et pourquoi elle pleurait si souvent. Je ne l'en aimais que davantage. Je voulais prendre aussi bien soin d'elle qu'elle prenait soin de moi.

— Parfois, je me dis qu'on ne connaît jamais vraiment les personnes qui nous entourent, a dit Tasha d'une voix triste.

— Sans doute, a repris Claire en se redressant et en se ressaisissant. Parlons plutôt de toi, maintenant. Tu m'as dit que ton mari s'appelait Dave, c'est bien ça ?

— Petit ami ou compagnon, pour les puristes. Nous sommes ensemble depuis dix ans, mais nous n'avons pas l'intention de nous marier. Je pense que c'est plus l'institution du mariage qui nous rebute que le manque de confiance dans notre relation. Nous sommes heureux comme ça. Nous n'avons pas d'enfants, mais nous y songeons sérieusement. Ça sera peut-être pour cette année ou l'année prochaine. Dave joue trop au foot, il est très désordonné, et certains de mes défauts le rendent dingue, mais notre couple fonctionne, a dit Tasha comme si elle s'excusait presque.

— Je suis bien contente, a répondu Claire. Ça me redonne un peu d'espoir.

Elle a souri. J'ai compris que, si elle pleurait beaucoup à cause de Steve, son sentiment de solitude n'était pas uniquement lié au départ de son mari. Tasha pourrait sans doute l'aider. Elle m'avait moi, bien sûr, mais je n'étais pas vaniteux au point de croire qu'elle pourrait se passer d'amis humains grâce à ma présence.

— Écoute, je fais partie d'un club de lecture. À vrai dire, on passe plus de temps à boire du vin et à papoter qu'à parler de livres, mais tu pourrais te joindre à nous. Ça te permettrait de rencontrer de nouvelles personnes, et les membres du club sont vraiment sympas.

— Oui, avec plaisir. Il faut que je refasse ma vie. C'est pour ça que je suis venue ici.

— Buvons à ce nouveau départ, a dit Tasha en levant son verre.

Je n'ai pas pu résister à l'envie de sauter sur la table ; pourtant, je savais que les humains n'appréciaient pas tellement. J'ai levé la patte pour toucher le verre. C'était ma façon de participer. Elles m'ont toutes deux regardé et ont éclaté de rire.

— Il est incroyable, ton chat, a dit Tasha en me faisant un gros câlin.

— Je sais. Il était là quand j'ai emménagé. Mais, Alfie, tu n'as pas le droit de monter sur la table.

Claire n'était pas en colère. Elle riait. Je lui ai adressé mon plus beau sourire de chat et j'ai sauté par terre.

Elles semblaient toutes deux parfaitement heureuses pour la soirée. Alors, je me suis dit qu'il était peut-être temps pour moi de rendre visite à mon ami Jonathan pour voir s'il avait reçu mon dernier présent. Elles n'ont pas remarqué que je m'esquivais par la chatière, car elles étaient encore en train de rire. J'avais l'impression que Tasha faisait beaucoup de bien à Claire et j'étais bien content.

Il faisait nuit et la température avait chuté quand je suis sorti dans le jardin derrière la maison pour rejoindre le numéro 46. Le gros matou qui s'en était pris à moi a essayé de me faire peur, mais j'ai miaulé très fort en le regardant et il a reculé. Il était trop gras pour me courir après, de toute façon. Je suis passé par la chatière et je suis entré dans la cuisine impeccable de Jonathan. Elle était plongée dans l'obscurité, mais j'ai trouvé Jonathan assis sur le canapé dans son séjour. Devant lui, il y avait son ordinateur avec le visage d'un homme sur son écran. Ils semblaient discuter, tous les deux.

— Merci, mon pote, j'apprécie beaucoup ce que tu as fait pour moi, a dit Jonathan.

— De rien.

L'homme sur l'écran parlait anglais, mais avec un drôle d'accent. Il avait à peu près le même âge que Jonathan, mais n'était pas aussi beau.

— Je suis vraiment content d'avoir un job. Je ne supporte pas l'inactivité.

— Ce n'est certes pas la même chose que SSV, mais c'est une bonne entreprise, et le poste devrait te convenir.

— Si tu viens en Angleterre, je t'inviterai à dîner, a dit Jonathan.

— Pareil si tu passes par Sydney. À bientôt, mon pote.

Jonathan a rabattu l'écran de son ordinateur portable. Il était temps pour moi de faire mon entrée. Je me suis redressé et je me suis avancé d'un pas majestueux, la queue en l'air. Posant une patte devant l'autre, je me suis approché doucement, mais d'un pas décidé, du canapé où était assis Jonathan. Il a poussé un profond soupir.

— Encore toi. Et je suppose que c'est toi qui m'as laissé l'oiseau mort sur le paillasson ?

Il n'avait pas l'air si furieux, cette fois. Je savais bien que ça lui ferait plaisir. J'ai incliné la tête et j'ai miaulé bien fort en le regardant. J'étais sûr qu'il avait vraiment apprécié l'oiseau.

— Pourquoi les chats ne comprennent-ils pas que les humains ne veulent pas d'animaux morts dans leur maison ?

Je l'ai regardé avec curiosité. Je comprenais que certains humains soient dégoûtés, mais je savais que Jonathan était comme la plupart des chats : il aimait chasser et tuer ses proies, j'en étais certain. Il ne risquait pas de l'avouer, mais j'étais sûr qu'il commençait à apprécier mes présents. Il s'est levé.

— Si on passait un marché, tous les deux ? Je te donne à manger et tu me laisses tranquille ?

J'ai incliné la tête. Je savais que là encore il ne le pensait pas sérieusement.

— Ça va peut-être marcher, après tout. Jusqu'à présent, je ne t'ai rien donné à manger et tu es toujours revenu. Tu es peut-être un chat qui préfère la psychologie inversée.

Je ne voyais vraiment pas ce qu'il voulait dire ! Mais il s'est dirigé vers le frigo, en a sorti des crevettes et il en a mis quelques-unes dans un bol pour moi. Il a ensuite versé un peu de lait dans une soucoupe.

— Tu as de la chance que je sois de bonne humeur aujourd'hui. Je viens de décrocher un job, tu vois, a-t-il dit, tandis que je me concentrais sur le festin qu'il m'avait préparé.

J'étais aux anges. Il a rouvert le frigo, a pris une bouteille, l'a ouverte et s'est mis à boire.

— Je suis vraiment soulagé. J'ai cru que je n'allais jamais retrouver du travail !

Il a frissonné et j'ai continué à manger.

— Franchement, je me demande ce qui m'arrive. Je suis en train de parler à un fichu chat. Je vais finir à l'asile, si ça continue.

Je me suis demandé furtivement ce que pouvait bien être un asile. Quand j'ai eu fini de manger, je me suis léché les pattes pour les nettoyer et j'ai remarqué qu'il me regardait tout en sirotant sa bière. Une fois ma toilette terminée, je me suis frotté contre ses jambes pour le remercier et je suis parti aussi vite que j'étais arrivé.

Je savais comment m'y prendre avec cet homme. Je ne voulais pas qu'il pense que j'étais en manque d'affection. Les mâles dominants n'aiment pas les nécessiteux. Je l'avais appris en regardant les séries télévisées. De toute façon, j'avais déjà parcouru beaucoup de chemin. Le petit chat solitaire, triste et terrifié que j'étais avait survécu à la rue et avait désormais deux amis dont il devait s'occuper. J'espérais de tout cœur que Margaret et Agnès pouvaient me voir d'où elles étaient et qu'elles étaient fières de moi.

Les souvenirs qui remontaient à la surface m'ont rendu un peu triste, mais j'ai vite retrouvé le sourire en retournant chez Claire. Non seulement j'avais dîné deux fois ce soir, mais j'étais désormais certain que Jonathan m'appréciait et que je pourrais bientôt considérer sa grande maison comme la mienne. J'ai pensé au week-end qui m'attendait. Claire m'avait dit qu'elle allait chez ses parents, et je savais qu'elle me laisserait quelque chose à manger. Elle allait beaucoup me manquer, mais, d'un côté, j'étais content qu'elle parte, car j'aurais ainsi l'occasion de nouer des liens avec Jonathan. J'étais certain que, si je passais plus de temps avec lui, il finirait par me trouver irrésistible. Après tout, il ne m'avait fallu que quelques jours pour mettre Agnès dans ma poche, et c'était un chat beaucoup plus lunatique et têtu que Jonathan l'était en tant qu'homme.

11

En regardant Claire préparer son sac, j'ai compris qu'elle était nerveuse. Elle n'arrêtait pas de se mordre la lèvre et s'interrompait parfois dans sa tâche pour s'asseoir comme si ses jambes ne la portaient plus. Je m'enorgueillissais d'être un chat perspicace. J'ai supposé qu'elle avait peur de croiser cet homme horrible, Steve, et sa petite amie. Pourtant, malgré cette appréhension, Claire allait plutôt bien. Tasha et elle étaient de plus en plus proches, et Claire avait décidé d'aller à son club de lecture la semaine suivante. Elle était en train de lire un livre sur une femme qui avait pour projet de tuer son mari. Claire disait que ça lui aurait certainement donné des idées si elle avait encore été mariée ; c'était une solution beaucoup moins onéreuse qu'un divorce, apparemment. J'espérais de tout cœur qu'elle se ferait de nouveaux amis au club de lecture. Je voulais absolument que Claire retrouve le bonheur. Je sentais que mon propre bonheur était irrévocablement lié au sien, désormais.

Je ne vivais chez Claire que depuis deux semaines, mais je l'aimais déjà. Je le savais parce que j'avais aimé Margaret et Agnès auparavant. Margaret était une femme magnifique. Elle souriait toujours, même quand elle souffrait, et elle voulait aider les autres, alors qu'elle aurait eu besoin de beaucoup d'aide de son côté. Elle a été une grande source d'inspiration pour moi et elle a fait de moi le chat que je suis aujourd'hui.

Claire avait besoin de mon amour et il était de mon devoir de le lui donner. Je suis resté près d'elle pendant qu'elle préparait ses bagages et je me suis frotté contre ses jambes pour bien lui montrer que j'étais là. Avant de descendre son sac au rez-de-chaussée, elle s'est tournée vers moi et m'a pris dans ses bras.

— Tu es sûr que ça va aller pendant mon absence ? a-t-elle demandé, les yeux pleins d'inquiétude.

J'ai incliné la tête comme pour dire : « Oui, bien sûr. »

— Je t'ai laissé à manger. Fais attention à toi. Tu vas me manquer.

Elle a déposé un baiser sur le bout de mon museau, geste qu'elle n'avait jamais fait auparavant. J'ai ronronné pour la remercier.

Une voiture a klaxonné, et Claire m'a caressé une dernière fois avant de quitter la maison en fermant la porte derrière elle. Il ne me restait plus qu'à espérer que tout se passerait bien pour elle et que l'horrible Steve ne viendrait pas gâcher son week-end. Je suis sorti.

J'ai salué deux jeunes chats qui jouaient dans la rue et j'ai poursuivi mon chemin jusqu'au bout de la route pour aller voir ce qui se passait dans la maison divisée en deux appartements. Je me suis demandé si quelqu'un avait emménagé. Je me suis arrêté net quand j'ai vu un homme et une femme devant la porte d'entrée fermée du 22A. La femme avait quelque chose noué autour de sa poitrine. J'ai réalisé que c'était un bébé qui pleurait bruyamment. L'homme avait passé son bras autour de l'épaule de sa femme. Elle était très belle : grande avec de longs cheveux blonds et des yeux verts, dont n'importe quel chat aurait été jaloux. Je suis resté à l'écart pour pouvoir les observer un peu pendant qu'ils ouvraient la porte de leur nouvelle maison. Au fond de moi, j'étais aux anges. Ils étaient trois et, malgré le fait que l'un d'eux était plus petit que moi, c'était une famille avec trois personnes pour s'occuper de moi. Pas une seule !

Je me suis approché pour entendre ce qu'ils disaient.

— Ne t'inquiète pas, Pol, ça sera très mignon une fois que nous aurons disposé nos meubles à l'intérieur.

L'homme était plus grand que la femme et il avait l'air gentil, même s'il n'avait plus beaucoup de cheveux sur la tête.

— Je ne sais pas, Matt, c'est si loin de Manchester et beaucoup plus petit que notre ancienne maison.

— Dis-toi que c'est temporaire. C'est une location. Dès que nous aurons pris nos marques dans ce nouvel environnement, que tout sera bien en place, on cherchera autre chose. Chérie, tu sais que je ne pouvais pas refuser ce poste ; c'est pour notre avenir, le nôtre et celui du petit Henry.

Il s'est penché et a déposé un baiser sur la tête de l'enfant, qui avait cessé de pleurer.

— Je sais, mais j'ai peur. Je suis terrifiée.

Elle semblait aussi apeurée que moi quand j'avais entamé mon périple jusqu'à Edgar Road.

— Crois-moi, tout va bien se passer, Polly. On pourra emménager demain une fois que les meubles seront arrivés. On pourra enfin quitter notre chambre d'hôtel étroite et s'installer dans notre première maison à Londres. C'est très positif. C'est un nouveau départ pour nous. Pour nous, en tant que famille.

Matt m'a tout de suite plu. Surtout quand il a pris Polly dans ses bras et a enlacé sa femme et son fils comme un homme digne de ce nom. Oui, j'ai su instinctivement que ce serait un bon foyer pour moi. Ils se sont éloignés ensemble de l'appartement et je me suis dit que je repasserais les voir une fois qu'ils auraient emménagé. Le moment serait plus opportun pour se présenter.

Le cœur léger, je suis entré par la chatière dans la maison de Jonathan. Au fond, je savais qu'il m'aimait bien, car il n'avait toujours pas mis sa menace à exécution : il n'avait pas condamné la chatière.

Je l'ai trouvé assis dans le séjour. Il était encore une fois devant son ordinateur. J'ai pu jeter un coup d'œil à l'écran. Il n'y avait pas le visage d'une personne, cette fois, mais des photos de voitures rutilantes. J'ai sauté sur le canapé pour m'asseoir à côté de lui.

— Oh ! te revoilà ! J'en conclus que tu n'as pas compris ce que je t'ai dit hier soir.

Je voulais lui répondre que j'avais parfaitement compris, mais que je n'étais juste pas d'accord avec lui, alors, je me suis mis à miauler bruyamment en espérant que ça ferait l'affaire.

— Enfin, je peux m'estimer heureux ! Tu ne m'as pas rapporté d'animal mort aujourd'hui, c'est déjà ça.

J'ai soudain eu un pincement au cœur. J'avais honte de m'être pointé chez Jonathan les pattes vides. Je me suis couché et j'ai posé ma tête sur le clavier. Je me suis dit qu'il allait sans doute être furieux, mais heureusement il a ri.

— Viens, tu peux avoir le reste des crevettes. Elles vont finir à la poubelle, sinon.

Je me suis léché les babines et je l'ai suivi à la cuisine. Il a renversé les crevettes dans un bol et je les ai mangées goulûment. Je n'avais pas spécialement faim, mais je ne pouvais pas résister aux crevettes fraîches ; c'était un véritable luxe. Une fois que j'ai eu fini, j'ai remarqué qu'il était bien habillé ce soir ; il ne portait certes pas de costume, mais il était élégant. Je l'ai regardé, les yeux mi-clos, l'air suspicieux.

— Bon, Alfie l'Intrus, je sors en ville ce soir. Si j'étais toi, je ne perdrais pas mon temps à attendre.

Il a ri et, en moins de temps qu'il n'en faut pour le dire, il a ouvert la porte et s'est glissé dehors.

J'avais deux maisons et pourtant j'étais toujours seul. Dans mon ancienne maison, j'avais pratiquement toujours de la compagnie. Quand Margaret sortait, j'avais Agnès à mes côtés et, après la mort d'Agnès, Margaret quittait la maison pour si peu de temps que c'est tout juste si je remarquais son absence.

J'étais impatient que la nouvelle famille emménage au 22A. J'avais des besoins bien définis : de la nourriture, de l'eau, un toit, des genoux pour m'accueillir et beaucoup d'amour. Je n'en voulais pas davantage, mais, après ce que j'avais enduré ces dernières semaines, je ne voulais prendre aucun risque. J'ai décidé d'aller dormir sur le canapé luxueux de Jonathan, dans un premier temps, et, malgré ses conseils, j'attendrais son retour, car, Claire étant partie pour le week-end, il était pour l'heure ma seule famille.

12

Je rêvais du passé. Je me revoyais dans mon ancienne maison avec Margaret et Agnès. Il faisait froid et Agnès souffrait atrocement. Margaret avait appelé la vétérinaire, qui avait dit que la fin était imminente. Si Margaret voulait bien la lui emmener, elle donnerait à Agnès quelque chose pour soulager la douleur. Sinon, il lui faudrait l'endormir.

Margaret s'est mise à sangloter, un peu comme Claire le faisait. Les larmes coulaient sur ses joues creuses. J'aurais aimé pleurer avec elle, mais Agnès se montrait si courageuse que j'ai refoulé mes émotions.

Je me suis blotti contre elle en espérant que je ne lui faisais pas mal. Margaret se préparait pour emmener Agnès chez la vétérinaire, ce qui n'était pas simple, parce qu'elle était vieille et qu'elle n'avait pas de voiture.

C'est tout juste si elle arrivait encore à soulever la caisse de transport. Elle a téléphoné à son voisin, un homme très gentil, appelé Don, guère plus jeune qu'elle. Il a dit qu'il l'emmènerait. Il aidait toujours volontiers Margaret. Agnès disait qu'ils allaient peut-être finir ensemble (Don avait perdu sa femme quelques années auparavant), mais Margaret appréciait trop sa propre compagnie, comme elle disait souvent.

— Ma compagnie et celle de mes chats me suffisent amplement, disait-elle en riant.

Je l'entendais encore prononcer ces paroles.

À l'époque, j'ai dû rester à la maison pendant qu'ils emmenaient Agnès chez le véto. Une fois seul, je me suis mis à miauler à pleins poumons. Je n'avais jamais miaulé aussi fort. J'avais si peur de perdre Agnès. Même si elle revenait à la maison, je savais qu'elle n'en avait plus pour longtemps : j'avais entendu Margaret le dire.

Agnès est bien revenue à la maison et j'étais si heureux. J'étais si reconnaissant que j'ai léché sa tête. J'avais cru que je ne reverrais jamais sa frimousse, et, même si elle était très faible, elle était là, à mes côtés, là où elle devait être. J'étais euphorique. Pourtant, le lendemain matin, elle était partie. Je le savais parce que j'avais dormi à côté d'elle et, quand je me suis réveillé, j'ai remarqué que son cœur avait cessé de battre. J'avais été si heureux de la revoir quelques heures auparavant et maintenant j'étais complètement dévasté. J'ai longtemps considéré que ce jour-là avait été le pire de ma vie.

Une clé qui tournait dans la serrure m'a arraché à mes tristes pensées. Quelques secondes plus tard, j'ai entendu des éclats de rire et des talons qui claquaient. La maison est restée plongée dans l'obscurité, mais les bruits de pas se sont rapprochés et, juste au moment où j'allais m'étirer, quelqu'un s'est laissé tomber sur moi.

J'ai crié très fort. Une voix de femme a hurlé. Jonathan a allumé. Il avait l'air un peu en colère.

— Qu'est-ce que tu fous sur mon canapé ? a-t-il demandé d'un ton furieux.

J'aurais bien aimé lui poser la même question. Après tout, j'étais là le premier. J'ai sauté par terre et je suis resté immobile, évaluant la situation.

Ce n'était pas la femme de l'autre fois. Elle était grande et mince, et portait une jupe très courte qui laissait voir ses longues jambes.

— C'est ton chat ? a-t-elle demandé en bégayant légèrement.

Pourquoi fallait-il que les humains s'enivrent ?

— Non, c'est juste un fichu squatteur, a répondu Jonathan en me foudroyant du regard.

J'ignorais ce qu'était un squatteur, mais j'ai compris que ce n'était pas un compliment. La femme s'est approchée de lui et s'est jetée à son cou. Quand ils ont commencé à s'embrasser, j'ai décidé qu'il était temps pour moi de partir. Après tout, comme je l'avais souvent entendu dire : deux, c'est bien, trois, c'est trop.

Il faisait déjà jour quand je me suis réveillé sur le lit de Claire. Je me suis précipité au rez-de-chaussée et j'ai mangé l'une des gamelles de nourriture que Claire avait laissées pour moi, puis j'ai bu de l'eau avant de faire une promenade matinale. Ça ne valait pas les crevettes de Jonathan, mais au moins j'avais le ventre plein. J'ai décidé de l'éviter pour le moment, d'attendre peut-être que son invitée soit partie. Alors, j'ai marché jusqu'aux appartements de la maison 22 pour voir ce qui se passait.

Bien qu'il fût encore très tôt, la femme et le bébé

étaient dans le jardin, à l'avant de la maison, et l'homme déchargeait des meubles d'une fourgonnette blanche. La femme, malgré sa beauté, avait les traits tirés. Elle semblait très inquiète. Elle n'arrêtait pas de se mordre la lèvre et de soupirer. Une fois encore, j'avais été attiré par un être humain qui avait besoin d'aide. J'ignorais encore le genre d'aide dont elle avait besoin.

— Il faut que j'aille donner à manger à Henry, a-t-elle dit quand le bébé s'est mis à hurler.

— D'accord, Polly, je vais continuer ici.

J'ai suivi la femme à l'intérieur. C'était une maison de plain-pied sans escalier. L'intérieur n'était pas très grand, mais il ne restait plus que les meubles à mettre pour y habiter. Il y avait énormément de cartons à déballer ; toutefois, un canapé gris et un fauteuil assorti étaient déjà disposés dans la pièce. Polly est allée s'asseoir dessus avec le bébé. Elle l'a mis contre sa poitrine et il s'est immédiatement arrêté de pleurer. J'étais très curieux. J'avais vu ça à la télévision, mais jamais dans la vraie vie. Ça m'a rappelé des souvenirs très vagues et peu fiables de la façon dont ma mère nous nourrissait avant que nous soyons sevrés et que je parte vivre chez Margaret. Ça m'a rendu encore plus nostalgique du passé. Soudain, la femme m'a regardé. J'ai cligné des yeux pour la saluer, mais, alors que je m'apprêtais à me présenter, elle a poussé un grand cri. Le bébé s'est mis à pleurer et l'homme s'est précipité dans la pièce.

— Qu'est-ce qui se passe ? a-t-il demandé d'une voix pleine d'inquiétude.

— Il y a un chat ! s'est-elle exclamée d'une voix

aiguë tout en essayant de remettre son bébé au sein.

J'étais un peu vexé. Je n'avais jamais suscité une telle réaction. Même Jonathan n'était pas allé aussi loin.

— Polly, ce n'est qu'un chat. Ce n'est pas la peine de te mettre dans tous tes états.

Matt parlait doucement comme s'il s'adressait à un enfant. Le bébé s'était calmé, mais c'était au tour de Polly de se mettre à pleurer. J'ai compris que j'avais sans doute commis une grosse erreur. Cette femme avait à l'évidence une phobie des chats. Je ne savais pas vraiment si ça existait, mais j'avais vraiment l'air de l'effrayer.

— J'ai entendu dire que les chats tuent les bébés.

J'ai gémi comme si je venais de recevoir un coup. On m'avait accusé de beaucoup de choses dans ma vie. De tuer des oiseaux, des souris et à l'occasion des lapins si c'était absolument nécessaire. Mais jamais je n'avais tué un bébé. Jamais de la vie.

— Pol.

L'homme s'est agenouillé à côté d'elle.

— Les chats ne tuent pas les bébés. On dit juste qu'il faut les tenir à l'écart de la chambre d'un nourrisson, car, s'ils se couchent dans le berceau pendant que le bébé dort, ils risquent de l'étouffer. Le chat est réveillé et tu as Henry sur toi.

Décidément, il me plaisait de plus en plus. Sa voix était douce et pleine de patience.

— Tu en es sûr ?

Elle m'a paru franchement névrosée. J'ai compris que quelque chose clochait chez cette femme. Pas comme chez Claire. C'était autre chose.

— Comment le chat pourrait-il tuer Henry en ta présence ?

Il s'est approché de moi et m'a soulevé. C'était un type bien, ai-je décidé. Il me tenait fermement mais gentiment. La façon dont un homme vous tient en dit long sur lui. Jonathan était un peu brusque, mais cet homme était parfait.

— Matt, c'est juste que…

Polly semblait toujours aussi contrariée.

— Il s'appelle Alfie, a-t-il dit en lisant ma plaque. Salut, Alfie, a-t-il ajouté en me caressant.

Il avait des mains douces et j'ai frotté ma tête contre lui.

— En tout cas, il ne vit pas ici. Alors, tu n'as strictement rien à craindre, Polly. Il a dû se glisser à l'intérieur pendant que la porte était ouverte. Où habites-tu ? m'a-t-il demandé, et je lui ai répondu avec mon plus beau « miaou ».

— Comment peux-tu être sûr qu'il n'habite pas ici ?

— Il a une plaque. Il y a un numéro dessus. Je peux appeler si ça peut te rassurer.

Polly semblait encore un peu hésitante. Le bébé s'était endormi contre elle, et je me suis dit que, même si l'homme semblait très gentil, il y avait beaucoup de tristesse dans cette petite pièce carrée.

— Bon, je vais finir de décharger. Viens, Alfie, il est temps pour toi de rentrer à la maison.

Il m'a porté dehors et m'a délicatement posé sur le pas de la porte. Je n'avais pas eu le temps de visiter le reste de l'appartement, mais je ne voulais pas prendre le risque de contrarier davantage Polly.

Comme j'avais quelques heures à tuer avant

l'heure du dîner, je me suis dit que je pourrais chercher un autre présent pour Jonathan. Après tout, maintenant que je l'avais pratiquement gagné à ma cause, je n'avais pas le droit de me relâcher. Il fallait que je poursuive mon offensive de charme, parce que j'avais vraiment du pain sur la planche avec Polly.

13

En quittant l'appartement 22A, j'étais bien décidé à aller chercher un présent pour Jonathan, mais j'ai été distrait par la lumière éclatante du soleil. On m'avait souvent dit que les chats chassent la nuit, que c'était censé être notre distraction nocturne favorite. Pourtant, je n'avais jamais été du genre à sortir la nuit et, depuis mon périple terrifiant, je ne m'aventurais dans l'obscurité que si c'était absolument nécessaire.

Il y avait plein d'oiseaux qui volaient au-dessus de moi, mais, quand je me suis assis sur un accotement herbeux près du parc, j'ai vu des papillons qui voletaient. J'ai tenté, en vain, de leur sauter dessus… Ils arrivaient toujours à s'échapper. Puis, j'en ai aperçu quelques-uns qui s'étaient posés sur un arbuste tout près. Je n'ai pas pu résister à la tentation de les chasser.

C'était l'un de mes jeux préférés quand je vivais chez Margaret. Je bondissais dans tous les sens, mais je n'arrivais jamais à en attraper un entre mes pattes. Un peu hors d'haleine, j'ai fait une dernière tentative. J'ai bondi sur un gros buisson feuillu, mais j'avais mal évalué la distance et je me suis retrouvé par terre, assis sur mon postérieur. Un oiseau qui passait par là s'est moqué de moi. Encore que légèrement contusionné et embarrassé, je m'étais bien amusé. J'ai affiché un air digne, je me suis relevé et j'ai décidé de remettre ma partie de chasse à un autre jour.

J'ai trouvé un endroit ensoleillé pour me reposer et j'ai fini par m'endormir. J'ai dû dormir assez longtemps, car, quand j'ai été réveillé par le bruit d'une dispute qui avait éclaté entre deux chats du quartier, il commençait à faire nuit. Chacun des deux prétendait être le plus beau… Rien d'inhabituel dans ce genre de querelles entre chats… Ils sont parfois si vaniteux.

Ils m'ont demandé de choisir. Comme je savais qu'il était toujours dangereux de prendre parti pour l'un ou pour l'autre, j'ai dit qu'ils étaient tous les deux très beaux et j'ai préféré m'esquiver. Il faut savoir être diplomate.

Claire n'étant toujours pas rentrée de son weekend, je suis retourné chez Jonathan. Je suis entré par la chatière et j'ai trouvé la maison plongée dans l'obscurité. J'ai traversé la cuisine vide à pas feutrés et je suis entré dans le séjour. J'ai été surpris de voir Jonathan allongé sur le canapé. Il avait la tête posée sur un coussin, comme s'il dormait, mais il avait les yeux ouverts.

La femme de la nuit passée avait disparu. Il était seul, une fois de plus. Il m'a regardé et j'ai eu mauvaise conscience de ne rien lui avoir apporté. Il aurait bien eu besoin d'un petit présent.

— Te revoilà, a-t-il dit sèchement. Figure-toi que je suis presque content de te voir. Au moins, la maison n'est plus si vide.

J'ai miaulé pour le remercier tout en me

demandant s'il s'agissait bien d'un compliment. Malgré tout, j'ai décidé de tenter ma chance et j'ai sauté sur le canapé pour m'asseoir à côté de lui. Il m'a regardé, mais ne m'a pas dit de descendre, ce qui était déjà un progrès.

— Où tu vas quand tu sors d'ici ? a-t-il soudain demandé.

J'ai miaulé.

— Tu erres juste dans les rues ? Parce que j'ai comme l'impression que tu vis avec moi, en fait.

Il semblait un peu déconcerté, et j'ai ronronné pour lui faire comprendre qu'il avait raison.

— C'est bizarre, Alfie, mais je viens de réaliser que c'est à ça que ressemble maintenant ma vie. Je vis dans cette maison vide, beaucoup trop grande pour moi, et je n'ai pratiquement pas d'amis.

Je me suis demandé ce que représentaient donc les deux femmes que j'avais vues chez lui.

— Et mes aventures d'une nuit ne comptent pas. Je me demande comment j'ai fait pour arriver à l'âge de quarante-trois ans sans avoir réussi à donner un sens à ma vie. J'ai l'impression de n'avoir rien accompli, a-t-il dit.

Il semblait d'humeur à s'apitoyer sur lui-même.

— Pas de femme, pas de famille, une poignée d'amis qui pour la plupart vivent à l'étranger.

Je me suis approché de lui et j'ai essayé de ronronner avec compassion.

— On n'est que tous les deux, Alfie. À quarante-trois ans, je n'ai qu'un foutu chat à qui parler et je ne sais même pas si tu es à moi.

Je l'ai regardé, la tête inclinée sur le côté, essayant de paraître rassurant.

— Je suppose que tu as faim ? a-t-il demandé, et j'ai miaulé le plus fort possible.

J'aimais mieux ça. J'étais affamé. Je l'ai suivi dans la cuisine, où il a sorti du saumon fumé du frigo. J'avais beau adorer Claire, le dîner chez Jonathan était vraiment spécial. Il a disposé une ou deux tranches sur une assiette qu'il a posée par terre et m'a caressé avec beaucoup de tendresse pendant que je mangeais. Il n'avait jamais fait ça auparavant. Nous étions en train de nouer des liens virils ! Sans trahir ma surprise, je me suis concentré sur mon repas. J'étais un chat sentimental, et l'attitude de Jonathan m'a fait chaud au cœur. J'étais touché. J'étais certain que j'allais finir par faire craquer Jonathan, sinon je n'aurais pas continué à venir, mais je n'aurais jamais imaginé qu'il se prendrait si vite d'affection pour moi. Si je n'avais pas été aussi occupé à manger, j'aurais sauté de joie.

Quand nous avons tous les deux fini notre repas, nous sommes retournés dans la salle de séjour. On formait un couple étrange : un homme immense et un petit chat. Lorsque nous nous sommes assis ensemble sur le canapé, j'étais aux anges. Jonathan a allumé une immense télé et a regardé un film particulièrement violent, où tous les hommes maniaient des fusils. Je n'en revenais pas : j'étais assis sur son canapé, blotti tout contre lui. Il me caressait distraitement tout en regardant son film. J'aurais volontiers changé de chaîne, mais j'appréciais le confort qu'il me donnait, alors, je n'ai pas bougé d'un millimètre. J'étais déterminé à aider Jonathan coûte que coûte. Je savais au fond de moi qu'il avait besoin de mon soutien.

14

Je me suis réveillé très tôt. Je l'ai tout de suite su parce qu'il faisait encore nuit. J'ai été un peu surpris en constatant que j'étais toujours sur le canapé de Jonathan. Il ne m'avait pas chassé de son sofa et m'avait tout simplement laissé dormir. J'avais dû m'assoupir pendant qu'il regardait son film atroce. Je suis parti un peu à contrecœur, mais je voulais vraiment aller chez Claire pour prendre mon petit-déjeuner avant de faire un tour au 22A et guetter le moindre mouvement. Je me demandais si le 22B serait bientôt occupé et quel genre de famille y habiterait. Peut-être ne rendrais-je visite qu'à la plus gentille des deux familles. Je n'avais pas encore pardonné à Polly de m'avoir traité d'assassin de bébé.

Quand je suis arrivé, après mon premier repas de la journée, j'ai vu qu'il y avait une camionnette devant le bâtiment et que la porte de l'autre appartement était ouverte. Ce n'était pas un véhicule rutilant comme celui dans lequel Matt et Polly s'étaient fait livrer leurs meubles la veille, mais plutôt une vieille camionnette bleu foncé un peu cabossée qui semblait avoir heurté un certain nombre de réverbères et écrasé un nombre tout aussi certain d'animaux. J'ai frémi… Espérons qu'aucun chat ne comptait parmi ses victimes. Deux hommes étaient en train de décharger des meubles qu'ils transportaient ensuite dans la maison. J'ai jeté un coup d'œil à l'intérieur par la porte d'entrée ouverte. Le 22B était un appartement situé à l'étage.

La porte s'ouvrait sur une minuscule entrée qui débouchait sur une volée de marches. J'avais très envie d'aller visiter, mais j'ai reculé quand les hommes sont arrivés avec une table. Ils avaient du mal à manœuvrer le meuble dans l'espace restreint et je me suis dit qu'il valait mieux ne pas rester dans leurs pattes. Ils s'exprimaient dans une langue que je ne connaissais pas. Ils parlaient fort, avec animation ; on aurait presque dit qu'ils se disputaient, mais je ne pense pas que c'était le cas. Remarquez qu'il n'aurait pas été étonnant qu'ils perdent un peu patience à force d'avoir à monter des marches étroites, chargés de meubles encombrants. Je suis resté devant la maison, un peu hésitant.

D'un côté, je mourais d'envie d'entrer, de l'autre, j'avais peur. Non seulement parce que les hommes avaient une carrure plutôt imposante, mais aussi parce qu'ils parlaient une langue que je ne comprenais pas. Et s'ils venaient d'un endroit où on mangeait les chats ? J'ignorais si un tel lieu existait, mais je ne voulais prendre aucun risque. Agnès m'avait parlé de pays où on mangeait des chiens. Apparemment, dans certaines cultures, c'était tout à fait normal. J'ai frissonné de nouveau. Je n'avais aucune envie de finir ma vie dans la marmite d'un humain.

Voulant néanmoins en savoir plus sur les personnes qui vivaient ici, je me suis tapi dans l'ombre quand j'ai vu les hommes redescendre au rez-de-chaussée. J'avais tout fait pour ne pas me faire remarquer ; pourtant, l'un des deux hommes m'a aperçu et est venu me caresser. J'ai cligné des yeux pour le saluer et il a semblé me répondre lui aussi par un clin d'œil. Si immense fût-il, il était très doux avec moi, et je me suis mis à ronronner pendant qu'il me câlinait. Il faisait souvent des clins d'œil tout en me parlant dans son étrange langue. Une femme est apparue et est venue le rejoindre. Elle était plutôt petite, mais très mignonne avec ses cheveux bruns et ses yeux marron. Elle s'est accroupie pour me caresser à son tour.

— Il parle pas polonais, a dit l'homme en l'embrassant.

— Les chats parlent pas, Thomasz, a-t-elle répondu avec un accent très prononcé.

Ils se sont mis à rire, puis ont recommencé à converser dans leur langue maternelle. Ils devaient avoir à peu près le même âge que Polly et Matt, et ils avaient l'air très gentils et très aimables. Le sourire de la femme était contagieux. Je l'ai regardée en plissant les yeux, ma façon de sourire à moi. Je ne suis pas certain qu'elle l'ait remarqué, cependant, parce qu'elle était occupée à discuter avec les deux hommes, et je ne comprenais toujours pas un mot de ce qu'ils disaient.

— Il est encore là, a-t-elle dit en reportant son attention sur moi.

— Peut-être qu'il veut souhaiter à nous la bienvenue.

— Peut-être. Joli chat, je trouve.

Son sourire a soudain disparu et elle s'est tournée vers l'homme, puis s'est cramponnée à lui. Elle semblait effrayée, soudain. J'ai incliné la tête de côté, intrigué. Elle a dit quelque chose dans sa drôle de langue.

— Franceska, ça va aller ! Nous venir ici pour une meilleure vie. Pour nous et les garçons. Je te promets que ça va aller.

Il l'a serrée dans ses bras immenses et elle a réussi à sourire à travers ses larmes. Une nouvelle amie dans le besoin pour moi. J'avais un radar pour repérer les âmes en peine, et cette rue avait donné un sens à ma vie. J'avais désormais pour mission d'aider les gens.

Soulagé parce que j'avais le sentiment d'être utile, j'ai souri intérieurement. Je réalisais petit à petit que les humains étaient beaucoup plus compliqués que je ne l'avais cru au départ. Pourtant, ils étaient gentils et, bien que cette femme fût triste, elle aussi, j'ai senti chez elle une force que ni Claire ni Polly ne semblaient avoir. J'étais certain que je serais le bienvenu chez eux et j'étais impatient de revenir. J'ai regardé la femme entrer, puis je me suis rendu compte qu'il faisait un grand soleil et qu'il était temps pour moi d'aller prendre mon deuxième repas de la journée.

Après m'être glissé dans la maison par la chatière, j'ai trouvé Jonathan assis à la table de la cuisine, en train de manger des tartines et de boire le café. Il portait une tenue de sport. J'ai miaulé bruyamment pour lui annoncer mon arrivée.

— Salut, toi. Je suppose que tu veux manger ?

J'ai sauté sur la chaise à côté de lui et il a ri.

— D'accord, mon ami, attends une minute. Je finis juste ma tartine.

J'ai attendu patiemment. Je me suis dit que Jonathan avait commis une grosse erreur au départ. Non pas en choisissant le job dont il m'avait parlé, mais en achetant cette maison. Elle paraissait si vide et beaucoup trop grande pour une seule personne. Elle semblait se moquer de lui, le railler. Si j'avais été à sa place, j'aurais choisi quelque chose de plus petit. L'un des appartements du numéro 22 aurait sans doute fait parfaitement l'affaire. Je comprenais maintenant pourquoi il me parlait. Tout comme c'était le cas avec Claire, c'était à cause de la solitude. J'ai réalisé que je n'étais pas le seul à avoir souffert de cette solitude excessive. Je la voyais en Claire, je la voyais ici et j'avais décelé quelque chose de ressemblant, quoique pas complètement identique, chez Polly et Franceska.

J'avais quelque chose à méditer… C'était beaucoup pour un petit chat comme moi. Et j'aurais fort à faire pour les aider.

Jonathan a ouvert une boîte de thon pour moi. Ce n'était certes pas aussi bon que les crevettes fraîches ou le saumon fumé, mais je n'étais pas du genre à me plaindre.

— Je vais au sport, Alfie. Il faut que je surveille ma ligne maintenant que je vis seul comme un aliéné avec un chat pour seule compagnie.

J'ai été interloqué par sa révélation, mais ensuite il a ri et j'ai été immédiatement soulagé. Bien sûr qu'il n'était pas fou ; il était juste un peu déséquilibré.

J'ai décidé de sortir et de faire un peu d'exercice, moi aussi. J'avais déjà mangé deux fois et il fallait que je prenne en considération le fait que j'étais désormais nourri dans deux maisons. Bien sûr, je ne voulais pas renoncer à manger cette nourriture. Je n'avais pas oublié les jours de disette, pendant mon long périple, et plus jamais je ne refuserais un repas. Pourtant, si les gens du numéro 22 se mettaient eux aussi à me donner à manger, Jonathan ne serait pas le seul à engraisser : moi aussi. Il fallait absolument que je fasse quelque chose, sinon je ne passerais plus par les chatières.

Même si je marchais beaucoup pour aller d'une maison à une autre dans la rue, j'étais devenu un peu paresseux comme autrefois quand je vivais chez Margaret. Toutefois, je ne pouvais pas me permettre d'être trop fainéant et suffisant. Et si je me retrouvais de nouveau tout seul ? J'ai frémi à cette idée, mais je savais que c'était tout à fait possible. J'espérais ne plus jamais me retrouver confronté à une telle situation, mais je devais m'y préparer, car cette fois je ne voulais prendre aucun risque.

15

J'étais blotti dans le panier spécial pour chats que Claire m'avait acheté quand j'ai entendu la clé tourner dans la serrure. Mon nouveau « lit » était à rayures bleues et blanches et, bien qu'il ne fût pas aussi confortable que mon ancien panier, il était tout de même très agréable.

Claire s'est dirigée droit sur moi et en a fait des tonnes pour me montrer combien elle était contente de me revoir. J'ai vraiment apprécié ses câlins. J'étais aussi soulagé. J'avais redouté qu'elle ne revienne à la maison en pleurant. Je m'étais même demandé si elle reviendrait tout court.

— Tu m'as manqué, Alfie, a-t-elle dit et ça m'a fait chaud au cœur. J'espère que je t'ai manqué, à toi aussi.

Elle souriait et elle avait bien meilleure mine. Elle était encore trop mince, bien sûr. Elle me faisait penser à moi quand j'étais arrivé ici. Pourtant, ses cheveux brillaient et elle avait pris un peu de couleur sur les joues. Le week-end chez ses parents lui avait visiblement fait du bien.

L'espace de quelques instants, j'ai failli céder à la panique, imaginant qu'elle allait peut-être retourner vivre dans sa ville natale, puis j'ai essayé de me calmer. Elle était là. Elle était revenue. Ce n'était pas pour rien. Je sais que je m'inquiétais beaucoup trop pour un chat, mais c'étaient les conséquences de mon passé. J'étais en train de réaliser que j'étais attiré par des personnes qui avaient des sentiments et des émotions similaires à ceux que j'avais connus. Je voulais les aider. Cette attirance était si forte qu'il fallait que je fasse tout mon possible pour ces êtres.

Claire est allée dans la cuisine pour me donner à manger et elle a mis la bouilloire en route pour se préparer un thé.

Une fois que j'ai eu terminé de manger, elle est partie chercher un sac et est revenue avec différents jouets pour moi. Il y avait un truc qui ressemblait vaguement à une souris au bout d'une ficelle, une balle, de l'herbe à chats et un objet qui cliquetait. Je me suis frotté contre ses jambes pour la remercier. Mais, à vrai dire, j'aurais parfaitement pu me contenter d'un lacet de chaussure.

Je n'avais jamais été très « jouets », pas même quand je n'étais encore qu'un chaton, mais c'était en grande partie à cause d'Agnès, qui considérait avec le plus grand mépris ces gadgets. Comme je voulais à tout prix l'impressionner, j'agissais comme si moi aussi j'étais au-dessus de tout ça. J'ai quand même fait l'effort de jouer avec eux pour faire plaisir à Claire. Je ne voulais pas qu'elle me prenne pour un ingrat.

J'ai couru après la balle qui a atterri sous le canapé et j'ai failli rester coincé dessous en essayant de la récupérer. J'ai donné de petits coups de patte pour la faire rouler et elle a fini par ressortir. Quand je me suis redressé, j'ai vu que Claire riait. Elle était tellement ravie qu'elle s'est mise à applaudir.

Ensuite, j'ai essayé d'attraper le gadget qui cliquetait avec mes pattes, mais il n'arrêtait pas de m'échapper. J'ai couru après.

Il faisait vraiment un bruit étrange. Chaque fois que je pensais l'avoir enfin attrapé, il glissait plus loin. À la fin, je courais dans toute la pièce, et c'était vraiment rageant. Claire semblait aux anges, quant à elle, et je ne comprenais pas ce qu'il y avait de si drôle et de si chouette là-dedans.

Elle est ensuite montée à l'étage, car elle devait défaire ses valises, m'a-t-elle dit. J'ai alors décidé de faire un petit somme. Ce n'était pas de tout repos de jouer. De plus, le repas que j'avais englouti m'avait donné sommeil. C'était l'heure de la sieste pour moi. Je me suis réveillé au son d'un éclat de rire : un son inhabituel dans la maison de Claire. J'ai immédiatement dressé l'oreille, tous les sens en alerte. Tasha est apparue et m'a pris dans ses bras. Elle m'a fait plein de câlins et a frotté sa tête contre mon cou.

— Salut, beauté, a-t-elle dit.

C'était vraiment une fille à chats et je me suis demandé pourquoi elle n'en avait pas un à la maison. Je savais qu'elle n'en avait pas, car j'aurais détecté l'odeur sur elle.

Claire est revenue avec deux verres.

— Si tu continues comme ça, il va vouloir vivre avec toi, a-t-elle dit en riant.

Mais où était passée la Claire malheureuse que j'avais connue ? On aurait dit une autre personne. J'étais impatient d'apprendre ce qui avait provoqué ce changement.

— J'aimerais beaucoup le ramener à la maison,

mais, malheureusement, ma moitié est allergique aux chats, alors, je devrai me contenter de le voir ici.

— Oh ! c'est affreux ! Il est vraiment allergique ?

— Oui, quand je reviens de chez toi, il faut que je me douche et que je lave mes vêtements... Bien sûr, s'il venait à se comporter comme un idiot un jour, je pourrais tout aussi bien oublier...

Elles ont éclaté de rire. J'étais pour ma part un peu vexé. Je trouvais qu'il n'y avait pas de quoi rire. Quel genre de personne pouvait être allergique aux chats ?

Claire a quitté la pièce, puis est revenue quelques secondes plus tard avec des assiettes remplies de nourriture. Elle les a posées sur la table, et elles se sont assises toutes les deux. À ma grande surprise et à ma grande joie, Claire a mangé. Je ne l'avais même jamais vue autant manger. J'avais envie de sauter en l'air pour montrer ma joie. Ma Claire allait beaucoup mieux, mais je ne voulais pas lui faire peur avec mes bêtises.

— Alors, raconte, a dit Tasha. On dirait que ton week-end s'est bien passé.

— Oh mon Dieu ! Je me sens beaucoup mieux. Comme si j'avais franchi un cap. Je me suis confrontée à mes démons et j'ai survécu ! Tu sais, en retournant dans ma ville natale et en risquant de les croiser dans la rue. Et c'est exactement ce qui s'est passé !

Claire jubilait presque. J'avais beau essayer de comprendre, en cet instant, son enthousiasme m'échappait un peu.

— Où ? a demandé Tasha, les yeux écarquillés.

— Je suis allée au supermarché avec ma mère. Elle me traite encore comme si j'avais cinq ans et elle a insisté pour que je fasse des provisions et que je les ramène ici. Franchement, on dirait qu'elle croit qu'il n'y a pas de supermarchés à Londres !

— Claire, va droit au but, a insisté Tasha en pouffant.

— Pardon. En tout cas, nous étions au rayon des légumes quand ils sont apparus soudain tous les deux. Lui, il poussait le chariot, et elle, elle geignait à propos de quelque chose. Je les ai aperçus avant qu'ils ne me voient, et ni l'un ni l'autre n'avait l'air spécialement heureux.

Claire, quant à elle, semblait très heureuse.

— Qu'est-ce qu'elle disait ?

Tasha et moi étions captivés.

— Aucune idée, mais, en tout cas, qu'est-ce qu'elle était grosse ! En fait, plus grosse qu'elle ne l'était avant qu'ils ne se mettent ensemble, et d'abord je me suis demandé si elle n'était pas enceinte, a dit Claire.

— Et elle l'était ?

— Non, mais je vais y venir. Maman s'est cramponnée à mon bras comme si sa vie en dépendait et puis nous nous sommes retrouvés face à face. Il n'avait pas bonne mine, pour tout te dire. Mais c'est peut-être parce que je le voyais vraiment pour la première fois.

— Tu veux dire que tu n'étais plus aveuglée par l'amour ?

— Exactement ! En tout cas, il m'a dit « Salut » et je lui ai dit « Salut ». Elle est restée clouée sur place, la bouche grande ouverte, et j'étais bien contente d'avoir mis de beaux habits, de m'être bien coiffée et maquillée.

— Je t'avais dit de te faire belle au cas où tu croiserais ce salaud !

— Oui, Dieu merci, je t'ai écoutée !

Elle a ri et j'ai eu envie de lui faire un bisou, ce que j'ai fait, mais sur son bras parce qu'elle était encore en train de parler. J'étais fier de ma Claire, même si je ne savais pas très bien pourquoi.

— Ensuite, je leur ai demandé comment ils allaient et ils ont répondu qu'ils allaient bien, mais ils n'en avaient pas l'air. Je sais que je suis trop mince, j'en suis consciente, mais comment a-t-elle fait pour prendre plus de quinze kilos en deux mois ? Elle ne ressemblait plus du tout à la femme pour qui il m'a quittée. Mais, le pire dans l'histoire, c'est que, pendant que j'essayais d'être polie, ma mère était à côté de moi et ne disait rien. Et, tout à coup, elle a demandé : « C'est pour quand ? »

— Nooon, elle n'a pas fait ça ?

— Mais si ! J'aurais dû être contente de moi quand la fille est partie comme une flèche et que Steve a marmonné qu'elle n'attendait pas de bébé, mais tu veux que je te dise ? Ils m'ont presque fait pitié. Je ne sais pas pourquoi. Après tout, elle savait parfaitement qu'il était marié quand elle a couché avec lui et ils ont failli me détruire avec leur comportement, mais, au fond, j'étais presque désolée pour eux. C'est génial !

Claire et Tasha se sont donné une accolade et ont pouffé comme deux petites écolières.

J'ai miaulé pour montrer mon approbation. Je n'y connaissais peut-être pas grand-chose, mais j'avais vu à la télé combien les relations amoureuses peuvent ruiner la vie des humains quand elles tournent mal. Je me demande parfois si le monde ne serait pas meilleur si les humains étaient comme les chats. Bien sûr, nous connaissons l'amour, mais nous ne sommes pas assez bêtes pour mettre tous nos chatons dans le même panier ; nous sommes forcément pragmatiques en matière de relations amoureuses. Il y a des femelles que je trouve très séduisantes, la plupart d'entre elles, à vrai dire.

Mais je ne suis pas naïf au point de croire que nous serons monogames toute notre vie. Les chats restent ensemble quelques jours, quelques semaines, quelques mois dans le meilleur des cas. Mais, ensuite, soit nous avons des petits ensemble, soit nous passons à autre chose. Peut-être que, si les humains ne tenaient pas absolument à rester toute leur vie avec la même personne, la vie serait plus facile et moins compliquée pour eux...

— Alors, finalement, tu as bien fait d'aller chez tes parents ? Malgré tes appréhensions ?...

— Oui, et pas seulement parce que je les ai vus et que je me suis rendu compte que ça ne m'affectait pas tant que ça... En fait, j'ai compris qu'en venant m'installer ici, je n'avais pas pris la fuite. Je veux vraiment être à Londres. Avoir un bon job avec des perspectives d'avenir, mon adorable petite maison, Alfie, et bien sûr mes nouveaux amis. J'ai apprécié mon week-end, mais j'avais aussi envie de rentrer ici. Je ne suis pas complètement remise, je le sais, mais je pense que j'ai un peu moins peur, désormais.

— Eh bien, il faut fêter ça ! À la fin de la semaine, j'organise une sortie entre filles ! On ira dans les meilleurs bars de Londres. Plein de cocktails et de mecs mignons.

— Tu veux que je te dise ? Je crois que je suis prête.

— Elle avait vraiment pris quinze kilos ? a demandé Tasha.

— Je ne sais pas exactement, mais elle avait beaucoup grossi, en tout cas. Et, contrairement à moi, elle n'en avait pas franchement besoin.

J'étais sous la table, blotti contre les jambes de Claire ; je voulais lui faire comprendre que j'étais fier de sa transformation. Elle était similaire, bien sûr, à la mienne. Il fallait qu'elle se remette à manger comme il faut, qu'elle boive moins de vin, et elle serait ensuite aussi en forme que moi. Claire semblait prête pour un nouveau départ.

— Aux nouveaux départs ! a-t-elle dit en levant son verre.

Je me suis demandé si elle était capable de lire dans mes pensées quand j'ai sauté sur la table pour essayer de trinquer avec elles.

Claire et Tasha avaient pratiquement fini leur deuxième bouteille et avaient renoncé à toute discussion sérieuse... J'ai décidé qu'il était temps pour moi d'aller voir comment se portait Jonathan. Maintenant que Claire semblait plus heureuse, je me suis dit que j'allais me concentrer un peu plus sur Jonathan et essayer de trouver son sourire. J'avais reconnu chez Claire un besoin que je connaissais parce que j'avais été dans sa situation, à ma façon, et j'avais le sentiment d'être parvenu à la réconforter et à la calmer. Maintenant, il fallait que je fasse la même chose avec Jonathan. Nous avions fait des progrès, mais il restait encore beaucoup de chemin à parcourir. J'avais du pain sur la planche. Il n'y avait pas de doute sur la question.

Je suis passé par la chatière et je l'ai trouvé dans le salon, allongé sur le canapé. Il m'a regardé, mais n'a pas prononcé un mot, ce qui ne lui ressemblait pas.

Ni insulte ni salutation. J'avais l'impression d'être transparent, tout à coup. Il s'est remis à regarder la télé, mais il avait vraiment mauvaise mine. Ses cheveux étaient ébouriffés et il était en pyjama. Ça devait faire un bon bout de temps qu'il traînait ainsi.

Comme je ne savais pas vraiment quoi faire, je suis allé m'asseoir à côté de lui et j'ai miaulé bruyamment.

— Si tu as faim, c'est pas de chance, parce que je n'ai pas l'intention de bouger, a-t-il dit avec humeur.

Puis, il s'est penché et m'a caressé comme s'il cherchait à me faire comprendre qu'il n'était pas en colère, après tout. Des messages contradictoires, comme d'habitude. Je voulais lui dire que je venais de manger et que je cherchais juste à être gentil, mais je n'étais pas certain de pouvoir transmettre le message en miaulant.

J'ai essayé. Jonathan était un homme un peu énigmatique, tout comme j'étais sans doute un chat énigmatique. Tout ce que je savais, c'est que, sous son apparence un peu dure, il était seul et effrayé.

Je voyais cette peur en lui, car je l'avais moi-même ressentie.

J'ai penché la tête d'un côté et j'ai essayé encore une fois de lui dire que je n'avais pas faim, que je me faisais juste du souci pour lui. Je me suis blotti contre lui, j'ai frotté ma tête contre sa main pour lui faire comprendre que j'étais là pour lui et, quand je l'ai vu me regarder avec des larmes aux coins de ses yeux, j'ai réalisé qu'il avait saisi mon message.

— Pourquoi ai-je toujours l'impression que tu lis dans mes pensées, a-t-il dit d'une voix irritée.

Je ne savais pas quoi répondre.

— Eh bien, si c'est le cas, tu vas voir un trou noir. Ou rien du tout, peut-être. Il n'y a rien là-dedans. En tout cas, il faut que j'aille travailler demain. Mon nouveau job merdique.

Il a soupiré.

— Mais c'est mieux que rien. Mieux que dépérir ici. Allez, viens, si tu restes, tu peux venir avec moi.

À ma grande surprise, il m'a soulevé et m'a porté jusque dans sa chambre, où il m'a jeté sur un fauteuil recouvert d'une couverture à la douceur exquise. Jamais je n'avais eu l'occasion de me coucher sur quelque chose d'aussi doux.

— Je dois être fêlé : c'est ma meilleure couverture en cachemire, a-t-il dit en soupirant quand il m'a déposé dessus.

Il s'est couché dans son lit et, quelques secondes plus tard, il ronflait bruyamment.

16

Le lendemain matin a été plutôt chargé et un peu fatigant. Je me suis réveillé chez Jonathan. Il faisait encore nuit quand il s'est levé et qu'il s'est préparé en vitesse pour son nouveau travail. Il est allé à la salle de bains en ronchonnant. La peau encore mouillée et brillante, il a fait le café avec une serviette nouée autour de son corps.

Il n'a rien mangé, mais a posé une soucoupe avec du lait pour moi. Il a remonté les marches quatre à quatre et est redescendu, quelques minutes plus tard, vêtu d'un costume élégant, mais marmonnant dans sa barbe, car il avait du mal à faire le nœud de sa cravate. J'ai quitté la maison en même temps que lui. Je voulais lui témoigner mon soutien en le suivant dans la rue. Il jurait et râlait à tout bout de champ, mais je savais qu'il cherchait ainsi à cacher sa nervosité.

— Bon, Alfie, a-t-il dit. C'est aujourd'hui que je retourne me confronter au monde réel. Souhaite-moi bonne chance.

Je me suis frotté contre ses jambes.

— Super, merci de m'avoir couvert de poils, a-t-il marmonné, mais ensuite il s'est penché et m'a tapoté la tête avant de descendre la rue à toute vitesse.

Il était évident que Jonathan m'aimait, mais il répugnait à montrer les facettes les plus douces de sa personnalité. Je l'ai suivi et j'ai essayé de toutes mes forces de ne pas me laisser distancer, mais c'était difficile avec mes petites pattes. Je voulais lui montrer que j'étais là pour lui. Il a secoué la tête et a ri tout en pressant le pas. Nous sommes arrivés au bout de la rue, un peu hors d'haleine, mais, tandis qu'il s'apprêtait à traverser la route, j'ai su que j'allais devoir le laisser là. Je ne voulais pas trop m'éloigner d'Edgar Road. Un peu fatigué par cette course matinale, je me suis dépêché de retourner chez Claire. Quand je suis arrivé, elle venait de sortir de la douche.

— Ah ! te voilà.

Elle m'a pris dans ses bras et m'a embrassé.

— Mais où étais-tu passé ? J'étais inquiète.

Je me suis blotti contre elle pour essayer de me faire pardonner. Je ne voulais pas qu'elle soit fâchée contre moi.

— Tu rôdes peut-être la nuit comme les autres chats.

Elle semblait un peu déconcertée, mais heureusement elle n'était pas en colère.

— En tout cas, sois prudent, s'il te plaît.

Elle m'a posé par terre et je me suis installé sur le fauteuil à côté de son lit pendant qu'elle se préparait. Les humains sont bizarres. Ils utilisent un truc pour se laver (nous avons notre douche intégrée) et ensuite ils s'enveloppent dans des serviettes et des vêtements. C'est beaucoup plus facile d'être un chat. Nous gardons notre fourrure tout le temps et nous nous lavons quand nous en avons envie. En fait, nous nous débarbouillons et nous nous peignons en même temps. Les chats sont beaucoup mieux conçus que les humains. En plus, nous n'avons pas besoin d'aller « au travail », un endroit où les humains ont l'air de passer beaucoup de temps et qui semble les obséder. Enfin, je pense que je commençais à comprendre, car c'était un sacré travail de veiller sur le bonheur de mes nouvelles familles. Claire avait besoin de ma compassion, Jonathan, de ma patience. Ils avaient tous deux besoin de mon amour et de mon aide. En même temps, je cherchais à attirer l'attention des familles des appartements 22A et 22B. D'ailleurs, il était temps pour moi d'aller voir ce qui se passait là-bas.

Le manque d'exercice n'était plus un problème pour moi. J'ai descendu la rue jusqu'aux 22A et 22B. J'étais d'excellente humeur. C'était une belle matinée ensoleillée et je pouvais presque sentir la chaleur qui commençait à imprégner l'air. Il allait faire chaud aujourd'hui, j'en étais certain. Et pour moi, avec mon beau manteau de fourrure, cela signifiait que je devais trouver un endroit ensoleillé ni trop chaud ni trop froid. J'aimais le soleil, mais aucun chat n'aimait crever de chaud. Dormir dans un lieu bien ombragé était l'un de mes passe-temps préférés.

J'ai été ravi de constater que la porte du numéro 22B était ouverte et que les deux enfants étaient en train de jouer sur la petite pelouse devant le bâtiment. Même si le jardin était commun aux deux appartements, Polly et son bébé qui pleurait n'étaient pas dehors. Pourtant, je l'ai entendu brailler quand j'ai rejoint les deux garçons sur la pelouse.

Ce vagissement était beaucoup plus fort que les sons que je pouvais émettre même dans mes moments les plus désespérés. Les deux garçons étaient de taille différente, mais ils étaient tous deux plutôt petits, et j'ai entendu l'un d'eux parler tout seul. Il utilisait des mots que je ne pouvais pas comprendre. Soudain, il m'a aperçu et s'est approché de moi.

— Chat, a-t-il dit très distinctement et il a ri.

Je suis allé à sa rencontre, j'ai frotté ma tête contre ses jambes, ce qui l'a fait rire. Son petit frère, qui s'était assis pour jouer avec une petite voiture, a ri lui aussi. La femme que j'avais vue l'autre fois, Franceska, est apparue à la porte.

— Salut, Alfie, a-t-elle dit.

Les garçons lui ont parlé.

— En anglais, Aleksy, a-t-elle répondu doucement, et je me suis demandé encore une fois d'où ils venaient.

— Maman, c'est chat, a-t-il répété.

Elle s'est approchée de lui et lui a donné un baiser.

— Tu es petit garçon intelligent, a-t-elle dit avant de prendre le petit frère dans ses bras. On lui donne à manger ?

— Oui, maman.

Aleksy s'est précipité dans la maison. Franceska est restée quelques secondes de plus dehors.

— Viens, Alfie, a-t-elle dit.

J'étais à la fois touché par l'invitation et par le fait qu'elle se soit souvenue de mon nom. Son accent était très prononcé, mais elle me plaisait. Elle était gentille, douce, une qualité dont Jonathan aurait bien eu besoin.

Nous avons monté l'escalier jusqu'à l'appartement. Franceska portait le petit garçon. Je me suis dit que c'était bizarre de diviser une maison en deux. Je trouvais ça très curieux, en fait. L'appartement en lui-même était plutôt agréable. Il était clair et moderne, mais aussi exigu et étroit. L'escalier débouchait sur une petite entrée. J'ai commencé ma visite par le séjour où trônaient deux petits canapés qui semblaient confortables, mais qui occupaient pratiquement tout l'espace. Il y avait aussi une table basse en bois. Des jouets étaient éparpillés au sol.

Une grande table était disposée au fond de la pièce et, derrière, une ouverture menait à la kitchenette. Contrairement à la maison de Claire, il y avait des affaires qui traînaient un peu partout, ce qui donnait une légère impression de désordre, mais au moins sentait-on immédiatement qu'il y avait de la vie dans ce foyer. Contrairement à la maison de Jonathan, l'appartement manquait d'espace.

Je me suis dit que les humains étaient bien étranges. Jonathan avait cette grande maison rien que pour lui, et ici, quatre personnes (dont deux étaient certes encore petites) étaient entassées dans un appartement exigu. Je ne comprenais pas comment ça fonctionnait, mais, en tout cas, ça ne me paraissait pas très juste. Pendant que Franceska s'affairait avec les garçons, je suis allé fureter dans les autres pièces. Un petit couloir partait de l'entrée en haut de l'escalier et desservait deux chambres. Dans l'une se trouvait un lit pour un enfant et un autre lit, dans l'autre, un lit à deux places. Il y avait aussi une petite salle de bains très blanche. La chambre avec le petit lit était un peu en désordre. Le sol était jonché de jouets. L'autre était mieux rangée et plutôt simple. Cet appartement était tout à fait correct, mais j'avais le sentiment qu'il était trop petit pour une famille.

Ma visite terminée, je suis retourné auprès de Franceska et de ses enfants. Les garçons étaient assis côte à côte sur un canapé. Le plus jeune serrait dans sa main un biscuit ramolli. Aleksy semblait ravi de me voir et il s'est mis à me caresser et à me chatouiller le cou. C'était très agréable. Beaucoup de mes connaissances et de mes amis chats vantaient les mérites des enfants et, grâce aux petites mains d'Alexandre et à son sourire chaleureux, je commençais à comprendre pourquoi.

Franceska est revenue dans la pièce.

— On pourra lui donner du poisson à midi, a-t-elle dit.

J'ai dressé les oreilles, tout excité.

— Et ensuite, tu pourras pratiquer ton anglais avec lui. Moi aussi, a-t-elle ajouté en riant. Et je dois appeler le numéro sur la plaque parce que peut-être il est perdu.

J'ai plissé les yeux. Claire et Jonathan n'avaient pas changé ma plaque ; le numéro qui figurait dessus était toujours celui de Margaret. Mon plan n'allait pas être dévoilé.

— Il peut vivre ici ? a demandé Aleksy.

— Non, *kochanie*. On vit en appartement. Les animaux domestiques sont pas autorisés.

Mon Dieu, je n'en revenais pas. Pourquoi étions-nous interdits dans certains lieux ? C'était trop injuste.

— C'est pas facile, m'a dit Aleksy tristement quand sa mère est retournée à la cuisine. Je parler polonais dans ancienne maison. J'ai appris anglais avant venir ici, mais c'est difficile.

Je me suis blotti contre lui, car il était au bord des larmes. Il m'a câliné, mais m'a serré si fort que je n'arrivais presque plus à respirer. Je l'ai laissé faire le plus longtemps possible, mais j'ai fini par me tortiller dans tous les sens pour me dégager de son étreinte. Une fois encore, j'avais trouvé des gens qui avaient besoin de moi. Ils étaient loin de leur maison, leur périple avait peut-être été encore plus long que le mien, et il y avait en eux une tristesse que je repérais désormais à des kilomètres à la ronde.

Le petit garçon m'a tiré de ma rêverie et s'est mis à me tripoter avec ses mains sales. Je ne lui en voulais pas, bien sûr, mais j'ai noté dans un coin de ma tête que j'aurais besoin d'une bonne toilette en sortant d'ici. Je n'avais pas eu beaucoup de contacts avec les petits enfants. Quand je vivais avec Margaret, il y avait une petite fille qui venait de temps en temps et elle était amusante. Elle voulait toujours jouer avec moi et me donner de la nourriture de son assiette, mais cela avait été ma seule expérience jusqu'à présent. Durant les quelques semaines qu'avait duré ma vie de nomade, j'avais rencontré d'autres chats qui m'avaient conseillé de me chercher une famille avec des enfants. Ils m'ont dit que c'était super, comme d'avoir des amis – mais des amis qui vous nourrissaient, vous aimaient, s'occupaient de vous et jouaient avec vous. Dans cet appartement, j'avais le sentiment que j'aurais des chances d'avoir tout ça.

J'aimais beaucoup Claire et Jonathan ; pourtant, je savais qu'ils ne me donnaient pas tout ce que je désirais. Ils me nourrissaient, oui, me câlinaient, parfois, mais ils me laissaient aussi tout seul. Je m'étais vaguement dit que mon projet de devenir un chat de pas-de-porte pourrait m'attirer des ennuis, mais, vous voyez, j'avais quand même un plan. Je ne pouvais pas compter uniquement sur Claire. J'ignorais qu'elle était seule quand j'avais choisi sa maison. Je m'étais attendu à ce qu'il y ait au moins deux personnes. Et, quand j'étais allé dans la villa de Jonathan, je pensais y trouver une famille, pas un homme célibataire grognon. Là non plus, ça ne s'était pas passé comme je l'avais prévu. Je craignais que ma vie ne fût encore trop précaire et c'est ce qui m'avait conduit ici. Tout se mettait en place dans ma tête. Les appartements du numéro 22 pourraient devenir mes maisons de jour, tandis que les autres villas deviendraient mes foyers du soir. J'étais certain que ça pourrait marcher ainsi et j'étais bien déterminé à tout faire pour.

Je me suis roulé sur le dos pour laisser Aleksy caresser mon ventre et, une fois que je me suis retrouvé de nouveau sur mes quatre pattes, j'ai levé ma queue bien haut. Ensuite, Aleksy a voulu que je me cache sous le fauteuil et que je fasse mine de lui sauter dessus. Je ne comprenais pas vraiment pourquoi ça les amusait autant, Thomasz et lui, mais j'étais ravi de leur faire plaisir. J'ai ensuite fait semblant de chasser un oiseau invisible et ils ont tous deux éclaté de rire.

Au bout de quelque temps, Franceska est revenue et a pris le plus jeune des garçons dans ses bras.

— Le numéro de téléphone ne marche pas. Peut-être, ils l'ont changé, mais pas la plaque.

Elle avait l'air pensive.

— Thomasz, c'est l'heure du dodo.

Elle l'a emmené dans le couloir, puis est revenue quelques instants plus tard, sans lui. Je l'ai entendu pleurer un peu ; ensuite, il s'est calmé. Aleksy dessinait quelque chose sur la table basse. J'étais assis sur le canapé, ne sachant trop quoi faire, mais je me sentais plutôt bien ainsi.

— Bon, Aleksy, Thomasz dort, on fait l'anglais, a-t-elle dit.

— D'accord, maman.

— Quel âge as-tu ? a-t-elle demandé.

Je les ai regardés tous les deux entamer leur conversation, tournant la tête tantôt vers Aleksy, tantôt vers sa mère.

— Six ans. Et Thomasz a deux ans.

— Très bien. Où tu habites ?

— À Londres. On vient de Pologne et c'est très loin maintenant.

Il avait l'air un peu triste et j'ai vu les yeux de Franceska s'assombrir.

— On retournera à la maison bientôt, a-t-elle dit calmement.

— Papa dit que c'est ici notre maison, maintenant, a répondu Aleksy.

— Oui, peut-être nous avons deux maisons maintenant, a-t-elle dit d'une voix qu'elle voulait sans doute pleine d'entrain.

J'avais envie de lui faire comprendre que c'était une excellente idée : moi aussi j'avais plusieurs maisons. Je me suis mis alors à miauler bruyamment.

— Le chat fait beaucoup de bruit.

— Le chat s'appelle Alfie.

— Alfie ?

Aleksy a répété le nom lentement, comme s'il testait sa sonorité. Je me suis dit que ça devait être difficile de venir habiter dans un endroit où on parlait une autre langue qu'il avait tout juste commencé à apprendre.

— Oui, et peut-être il vient souvent voir nous ?

Elle m'a regardé d'un air interrogateur et j'ai incliné la tête de côté pour essayer de lui faire comprendre qu'effectivement je viendrais souvent.

— Maman… Et si j'aime pas l'école ?

Les grands yeux d'Aleksy se sont remplis de larmes.

— Bien sûr que tu vas aimer l'école. Au début, ça sera peut-être difficile, mais ça va aller. OK ?

— OK.

— Il faut être courageux maintenant. Papa a un bon travail ici. On va vivre mieux si on fait tous des efforts.

— Papa me manque.

— Il doit travailler très dur, mais bientôt on le verra plus. Il fait ça pour nous.

Elle s'est approchée et s'est assise à côté d'Aleksy. Il avait dessiné une maison. Ce n'était pas celle dans laquelle nous nous trouvions, en tout cas. C'était un drôle de bâtiment avec beaucoup de fenêtres.

— Notre ancienne maison me manque à moi aussi, a dit doucement Franceska tout en caressant les cheveux de son fils. Mais on va se plaire ici. Il faut juste être très courageux.

Je me suis demandé qui elle essayait de convaincre. Lui ou elle ?

Je ne voulais pas bouger. En regardant la mère et le fils, j'avais envie de pleurer, moi aussi. Je voyais des gens qui faisaient tout leur possible pour être heureux ; je réalisais que la vie pouvait être vraiment difficile et bouleversante aussi bien pour les humains que pour les chats.

Soudain, Franceska s'est levée.

— Bon, on va faire à manger. Aleksy, viens m'aider et tu pourras donner quelque chose à Alfie.

Cette perspective l'a égayé et il a suivi sa mère dans la cuisine. Je l'ai suivi et j'ai vu Franceska sortir des sardines du frigo et les disposer sur une assiette.

Miam, ai-je pensé. Quel luxe ! Du saumon, des crevettes et maintenant des sardines. J'avais vraiment choisi la rue parfaite pour m'établir.

17

Je n'avais pas pensé à la logistique de l'appartement. Il n'y avait qu'une seule entrée et pas de chatière. Un petit jardin se trouvait à l'arrière de la maison, mais on y accédait par le côté et il était réservé aux deux appartements. La seule façon de sortir du 22B, c'était par la porte d'entrée. Ce qui n'était pas facile puisqu'elle était fermée. Il faudrait que je trouve une solution. En attendant, j'ai mangé beaucoup de sardines, j'ai bu de l'eau et j'ai joué avec Aleksy, qui avait retrouvé son entrain habituel. La plupart de ses jouets n'étaient naturellement pas faits pour les chats, mais nous avons couru après une petite balle, et ça lui a beaucoup plu. Je commençais à comprendre pourquoi les chats aimaient tellement les petits enfants. Quand ils riaient, on avait envie de rire aussi, et leur joie était particulièrement contagieuse. Il y avait cependant un revers à la médaille : Aleksy me sollicitait sans cesse ; il ne me laissait pas le temps de souffler, et je commençais à fatiguer sérieusement. C'était une expérience nouvelle pour moi, et, même si je l'appréciais beaucoup, je la trouvais épuisante.

Thomasz, le petit, s'est réveillé en pleurant. Franceska est allée le chercher, puis l'a ramené dans le séjour et lui a donné une bouteille remplie de lait. Elle s'est assise sur le canapé avec lui. J'ai réalisé qu'il fallait vraiment que je retourne dans mes autres maisons pour voir comment se portaient Claire et Jonathan. Il fallait absolument que je leur fasse comprendre que je voulais partir. Quand Thomasz a terminé de boire son lait, j'ai miaulé bruyamment, puis j'ai descendu l'escalier et je me suis posté devant la porte d'entrée.

— Oh mon Dieu ! Tu veux sortir, a dit Franceska en descendant l'escalier avec Thomasz dans les bras.

Aleksy les a suivis.

Elle a ouvert la porte et je me suis tourné vers eux pour leur dire au revoir. J'ai essayé de leur faire comprendre avec mes yeux que je reviendrais et j'ai ronronné aussi pour leur dire que j'avais passé un bon moment. Aleksy s'est baissé et a déposé un baiser sur ma tête. Je lui ai léché le nez, ce qui l'a fait rire. Thomasz, que je n'avais encore jamais entendu parler, a crié « Chat ! » et les deux autres se sont mis à rire.

— On va dire à papa que Thomasz a prononcé son premier mot en anglais, a dit Franceska. Alfie, tu es malin. Tu as appris à Thomasz son premier mot en anglais.

Elle semblait ravie, et j'étais très fier de moi. Ils sont tous sortis avec moi. Le soleil brillait, et la pelouse à l'avant de la maison était encore toute chaude. On avait vraiment envie de se coucher dessus. Tandis que nous nous dirigions vers le portail, la porte d'entrée du 22A s'est ouverte, et Polly est apparue. Elle semblait particulièrement nerveuse, tandis qu'elle essayait de faire sortir sa poussette par la petite porte. J'ai entendu le bébé qui pleurait à l'intérieur.

— Attendez, je vais aider.

Franceska a posé Thomasz, qui s'est immédiatement levé pour aller rejoindre son frère. Franceska est parvenue à faire passer la poussette pliée, mais encore beaucoup trop encombrante, par la porte, puis elle l'a ouverte d'un mouvement rapide.

— Merci, a dit Polly. J'ai du mal à la manœuvrer ici.

Elle a souri un peu tristement.

— Elle est beaucoup trop grosse.

— Oui, très grosse. Je m'appelle Franceska.

Elle a tendu la main. Polly l'a serrée, un peu hésitante. J'ai remarqué qu'elle avait à peine touché la main de Franceska avant de retirer la sienne.

— Moi, c'est Polly. Je dois aller chercher...

Elle a disparu à l'intérieur, puis est revenue quelques secondes plus tard avec Henry dans ses bras. Elle portait aussi un énorme sac. Elle a installé le bébé dans la poussette. Il s'est immédiatement remis à hurler. Elle a bercé Henry en avançant et reculant la poussette. Franceska s'est penchée et a caressé la joue du bébé. Polly semblait terrifiée. Son visage avait la même expression que lorsqu'elle m'avait vu pour la première fois. Peut-être pensait-elle que Franceska allait tuer son bébé, elle aussi.

— Bonjour, bébé. Son nom ?

Franceska a regardé Polly et a souri.

— Henry. Désolée, j'ai un rendez-vous avec la puéricultrice et je suis en retard. À bientôt, j'espère.

Elle s'est tournée pour fermer la porte d'entrée,

mais j'ai eu le temps de me glisser à l'intérieur avant.

Quand je me suis réveillé, je ne savais plus où je me trouvais. Puis, j'ai réalisé que j'étais toujours dans l'appartement de Polly. J'ai regardé autour de moi, mais il n'y avait toujours personne. J'étais sur leur grand canapé gris et, épuisé après toutes ces sardines et tous ces jeux, j'avais dû finir par m'endormir. Lorsque Polly était partie, fermant la porte derrière moi, j'avais fait le tour de l'appartement. Il avait les mêmes dimensions que celui du haut, mais il n'était ni aussi accueillant ni aussi confortable. En plus du canapé et du fauteuil, il y avait un coffre en bois qui faisait office de table basse, un tapis au sol avec de petits objets qui pendaient (j'ai supposé que c'était pour Henry) et une immense télé à écran plat suspendue au mur. À part ça, les murs étaient complètement nus et je me suis demandé s'ils n'avaient pas des tableaux et des affiches ou s'ils n'avaient pas encore eu le temps de les mettre.

La chambre la plus spacieuse était dotée d'un grand lit et de deux tables de nuit. Il n'y avait pas d'autres meubles, et les murs me paraissaient très, très blancs. La chambre la plus petite était décorée comme celle d'un enfant. Les murs étaient ornés de posters colorés représentant des animaux. D'autres animaux étaient suspendus au-dessus du berceau. Une couverture multicolore était posée par terre.

Le sol était aussi jonché d'une multitude de jouets à l'apparence toute douce. J'avais l'impression que c'était le seul endroit coloré dans une maison toute blanche. J'ai trouvé ça plutôt étrange. Et j'ai eu comme l'impression que quelque chose ne tournait pas rond ici, mais je n'arrivais pas vraiment à mettre la patte dessus.

Je me suis demandé quelle heure il était. Je savais instinctivement qu'il était temps pour moi de bouger. Pourtant, quand j'ai cherché une issue, j'ai réalisé avec effroi que j'étais piégé une fois de plus. Je n'avais aucun moyen de sortir d'ici. Personne n'était là pour m'aider ; alors, comment pourrais-je sortir ? Si seulement la fenêtre de la salle de séjour avait été entrouverte, j'aurais pu me glisser dehors.

Toutefois, personne dans la rue ne laissait ses fenêtres ouvertes quand il était absent de sa maison. J'ai senti la panique m'envahir. Et s'ils étaient partis pour de bon ? Personne ne savait que j'étais ici. Allais-je mourir dans cet appartement ? Après un périple aussi long et aussi périlleux, allais-je vraiment finir ainsi ? J'ai senti ma respiration s'accélérer sous l'effet de la peur.

Juste au moment où j'ai cru que j'étais réellement pris au piège, sans nourriture, sans eau, sans compagnie, j'ai entendu la porte s'ouvrir, et Matt, Polly et la poussette sont entrés. La poussette était presque aussi grosse que l'appartement. Polly a dû passer la première, suivie de Matt, suivi de la poussette.

— Cette poussette est trop encombrante. Je n'arrive pas à la manœuvrer, a dit Polly d'un ton brusque.

On aurait dit qu'elle était sur le point de se mettre à pleurer.

— On ira en acheter une plus maniable ce week-end, chérie. Ça va aller.

Comme Henry dormait, ils l'ont laissé dans la poussette. Ils ont claqué la porte trop vite pour que j'aie le temps de sortir, mais j'étais curieux maintenant et je les ai suivis.

— Oh mon Dieu, comment as-tu fait pour entrer ? a dit Polly, visiblement contrariée.

— Salut, toi, te revoilà.

Matt s'est penché pour me caresser.

— Tu veux boire quelque chose ?

J'ai léché mes babines. Il a ri et a versé un peu de lait dans une soucoupe.

— Matt, je ne sais pas si c'est bien de l'encourager comme ça… Je ne veux pas qu'il pense qu'il peut venir quand ça lui chante.

— Ce n'est que du lait et apparemment il fait son petit tour dans le coin. Alors, pourquoi ne pas lui souhaiter la bienvenue ?

— D'accord, si tu le penses.

Polly n'avait pas l'air convaincue, mais elle n'a pas discuté.

— Et ses maîtres ?

— Polly, il n'est venu que deux fois ici. Il doit rentrer chez lui dès qu'il sort de chez nous. Ne t'inquiète pas. Au fait, comment ça s'est passé avec l'infirmière puéricultrice ? a demandé Matt.

— Elle n'est pas comme celle que nous avions avant. Elle n'était vraiment pas aimable. À l'évidence, elle était trop occupée pour m'écouter et elle s'est débarrassée de moi dès qu'elle a pu. Elle savait que Henry était un bébé prématuré et donc très fragile ; pourtant, elle m'a presque congédiée.

— Mais il va bien maintenant, Polly, tu le sais ?

La voix de Matt était douce, réconfortante.

— Je ne savais vraiment plus quoi faire. C'est pour ça que je suis allée m'asseoir dans le parc avec Henry en attendant que tu sortes du travail.

Son joli visage s'est assombri et elle a fondu en larmes. Matt semblait affligé, lui aussi.

— Ça va aller, Polly, tu verras. Je suis désolé, mais, si tu veux, je peux te présenter aux épouses de mes collègues de travail, et nous pourrions peut-être chercher un groupe de parole et d'échanges pour les mères et les bébés.

— Je ne sais pas si je peux. Je ne peux pas *respirer*, Matt. Parfois, j'ai l'impression de ne pas pouvoir respirer.

La respiration de Polly semblait effectivement entravée comme pour illustrer ce qu'elle venait de dire. Ses yeux étaient remplis de larmes. Elle était bouleversée. Je l'ai regardée et j'ai compris que c'était vraiment sérieux, que quelque chose ne tournait pas rond chez cette femme. Je le voyais, mais j'avais comme l'impression que Matt ne s'en rendait pas vraiment compte.

Je ne savais pas ce qui perturbait Polly à ce point, mais je sentais instinctivement que c'était en lien avec Henry. Ça arrive parfois aussi dans le monde des chats : certaines femelles donnent naissance à des chatons et elles ont du mal à s'attacher à leurs petits. J'avais le sentiment que c'était ce que je voyais ici. Même si je me trompais, je savais au fond de moi que Polly avait besoin d'aide.

— Ce sont tous ces changements qui te perturbent un peu, mais on va s'en sortir, tu verras.

C'est alors que des pleurs ont retenti dans l'entrée. Polly a regardé sa montre.

— Il est l'heure que je lui donne à manger.

Elle s'est dirigée vers la poussette et je me suis faufilé entre ses jambes dans l'espoir d'atteindre la porte d'entrée. Elle m'a regardé, s'est penchée pardessus la poussette et a ouvert la porte. J'ai essayé de lui adresser un regard chaleureux, mais elle n'a pas remarqué. L'air las, elle a pris Henry dans la poussette, puis, sans jeter un coup d'œil dans ma direction, elle m'a claqué la porte au nez. Au moins, j'étais dehors.

18

En descendant la rue, je me suis demandé chez qui je devais aller en premier. Je ne savais pas quelle heure il était. Il faisait encore jour, mais, comme Matt était rentré du travail, je me suis dit que les autres devaient être à la maison aussi. J'ai décidé d'aller voir d'abord Jonathan. Il était un peu nerveux ce matin quand il était parti, car c'était son premier jour à son nouveau poste.

J'étais très gêné d'arriver chez lui sans rien avoir à lui offrir (après tout, la souris morte et l'oiseau nous avaient aidés à tisser des liens), alors, je me suis promis de lui chercher un petit quelque chose plus tard, juste pour fêter son nouveau job. Quand je suis entré par la chatière (quel dommage que toutes les maisons n'en soient pas équipées !), je l'ai trouvé dans la cuisine.

— Salut, Alfie, a-t-il dit d'une voix étonnamment chaleureuse.

J'ai ronronné.

— En fait, en dépit de mes appréhensions, ma première journée s'est plutôt bien passée. Le job merdique n'est pas si merdique que ça, et l'entreprise est bien. Pour fêter cette bonne nouvelle, je nous ai acheté des sushis. En fait, je ne suis pas sûr que les chats mangent du riz, mais je t'ai pris du sashimi. J'ignorais de quoi il parlait. Il a sorti des petits plateaux d'un sac en papier marron et j'ai vu que c'était du poisson. Du poisson cru. Il en a disposé un peu sur une assiette pour moi et a mis le reste au frigo. Je l'ai regardé d'un air interrogateur.

— Je vais à la salle de sport. Alors, je mangerai à mon retour.

J'ai miaulé pour le remercier et j'ai attaqué mon festin. J'aimais ce sashimi et j'espérais que Jonathan m'en reprendrait. J'avais le sentiment de vivre une expérience gustative très particulière avec lui. Il ne me restait plus qu'à prier pour qu'il ne renonce pas tout à coup à ces mets luxueux et qu'il ne se mette pas à me donner des terrines pour chats comme Claire.

— Ne crois pas que tu vas en manger tous les jours, a-t-il dit. C'est réservé aux occasions spéciales.

Hum, il avait incontestablement l'art de lire dans mes pensées.

Pendant que je mangeais, Jonathan s'est changé et est parti à la salle de sport. Du coup, je me suis précipité chez Claire.

Elle était dans la salle de séjour, en train de regarder la télévision. Elle n'avait plus l'air triste. C'était peut-être la nouvelle Claire.

— Salut, Alfie. Je me demandais où tu étais encore passé.

Elle m'a câliné. J'ai ronronné de joie. Claire et moi entretenions une relation harmonieuse et bénéfique pour chacun de nous deux. La maison de Claire était toujours mon foyer numéro un, non pas parce que c'était la première que j'avais trouvée, mais parce que nous avions noué des liens très forts rapidement. Je ne savais pas toujours où j'en étais avec Jonathan, même si j'avais le sentiment, secrètement, qu'au fond de lui, il m'aimait bien. Quant aux appartements du numéro 22, l'amitié que j'entretenais avec ces familles n'en était encore qu'à ses balbutiements. Mais Claire et moi formions une famille, et je l'aimais beaucoup.

— Bon, Alfie, je vais me changer.

Je l'ai regardée d'un air interrogateur. Où allait-elle ?

— Je vais à la salle de sport du quartier. J'ai décidé qu'il fallait que je prenne soin de moi… Il était temps.

Elle a souri, puis est montée à l'étage.

Pourquoi les humains voulaient-ils tous aller à la salle de sport ? Je me suis demandé si elle fréquentait le même club que Jonathan et, quelque part, je n'avais pas très envie qu'elle le rencontre. Pas encore, du moins, alors qu'ils pensaient tous les deux que j'étais leur chat. Ça pourrait être très gênant.

Plutôt que de m'inquiéter davantage, j'ai décidé de faire une petite promenade pour dépenser la nourriture que j'avais engloutie dans la journée. En sortant, j'ai vu Tigresse.

— Ça te dit de faire un tour avec moi ? lui ai-je demandé.

— Je voulais passer une petite soirée tranquille et puis peut-être sortir un peu plus tard, a-t-elle répondu.

— Allez, viens. Il faut que je trouve un cadeau pour Jonathan.

J'ai fini par la convaincre de venir avec moi en lui promettant de lui laisser les meilleurs morceaux des proies que nous attraperions. Ah ! les femmes !

Nous avons pris l'« itinéraire pittoresque » pour aller jusqu'au parc du quartier. Nous avons rencontré des chats sympas en chemin et des chiens qui l'étaient nettement moins. L'un d'eux, un énorme clébard, sans doute deux fois plus grand et gros que moi, n'était pas en laisse. Il s'est mis à aboyer bruyamment et a couru vers moi. Il grondait agressivement et montrait les dents, qu'il avait très pointues. Tigresse, plus bagarreuse que moi, a feulé et craché en le regardant. Pour ma part, je préférais ne pas trop le contrarier. J'avais toujours peur, mais je savais désormais mieux gérer les situations dangereuses. J'ai fait demi-tour, puis, après avoir appelé Tigresse, j'ai couru aussi vite que mes petites pattes me le permettaient et j'ai grimpé sur le premier arbre qui se présentait.

Heureusement, Tigresse a été aussi rapide que moi et elle m'a suivi dans les branches. Le chien s'est planté devant l'arbre, aboyant furieusement, jusqu'à ce que son maître le tire par le collier et le force à s'en aller. Nous étions hors d'haleine et épuisés.

— Alfie, je t'avais bien dit que nous aurions dû rester à la maison, m'a réprimandé Tigresse.

— Oui, mais la fuite est un très bon exercice pour nous, ai-je répliqué.

Sur le chemin du retour, je me suis rappelé que j'étais censé trouver un cadeau pour Jonathan. Par chance, deux souris bien appétissantes traînaient devant les poubelles d'une maison. Heureusement que je n'avais pas du tout faim, sinon j'aurais été tenté de manger la mienne. J'ai vu Tigresse régler son compte à l'une des deux du premier coup ou presque.

J'ai laissé la souris devant la porte d'entrée de la maison de Jonathan, puis j'ai erré sans but dans la rue. Je me suis détendu avec Tigresse dans son jardin et j'ai décidé qu'il était temps de retourner chez Claire.

Elle était toute rouge et couverte de sueur quand elle est rentrée. Ce n'était pas le look qui lui convenait le mieux et elle ne sentait franchement pas très bon, mais elle avait l'air heureuse et c'était l'essentiel.

— Mon Dieu, Alfie, je suis épuisée. Mais je me sens beaucoup mieux. Ça fait du bien de faire de l'exercice. Il paraît que ce sont les endorphines. J'ai bien l'impression que c'est vrai.

Elle m'a pris dans ses bras et m'a fait tournoyer. Elle ne s'arrêtait plus de rire. J'ai essayé de ne pas m'impatienter, parce qu'elle était vraiment affectueuse, mais honnêtement elle avait besoin d'une bonne douche.

— Bon, il faut que j'aille me laver.

Quel soulagement ! J'ai décidé qu'il était temps pour moi aussi de faire une toilette complète.

19

Le lendemain matin, j'ai déjeuné avec Claire, puis, pendant qu'elle se préparait, je suis allé voir Jonathan. Mon emploi du temps matinal était chargé, mais, voulant qu'ils me voient tous les deux avant de partir au travail, je mangeais en vitesse et je n'avais même pas le temps de me nettoyer les moustaches comme il faut avant de faire un saut dans ma deuxième maison. Il fallait que j'accorde beaucoup d'attention à Claire et Jonathan, c'était important, car je voulais qu'ils me considèrent tous les deux comme « leur » chat. Jonathan était sur le point de sortir quand je suis arrivé.

— Ah ! je me demandais où tu étais. Merci pour le cadeau, mais tu n'aurais vraiment pas dû. *Vraiment.* Je suis sûr que beaucoup d'entre nous seraient ravis que tu débarrasses la rue de toutes les souris qui traînent, mais je préférerais pour ma part qu'elles n'atterrissent pas sur mon paillasson.

Malgré ses réprimandes, j'ai décidé qu'au fond, au plus profond de lui peut-être, il appréciait mes présents. Après tout, il ne m'avait plus jamais jeté dehors. Je suis un chat et je ne pouvais pas lui faire les cadeaux que font en général les humains. Margaret aimait offrir des fleurs à ses amis… Alors, je faisais de mon mieux et peut-être que Jonathan comprenait mon geste bien mieux qu'il ne le prétendait. Je l'ai regardé en me léchant les babines et en miaulant.

— Je t'ai laissé une coupelle avec les restes d'hier soir. Il faut que j'aille au travail, mais je te verrai à mon retour. J'espère, en tout cas.

Il s'est baissé et m'a chatouillé sous le menton. J'ai beaucoup apprécié. J'ai ronronné à pleine gorge et il a souri de plaisir. Quand il est parti, j'ai ignoré la nourriture. J'ai refait une bonne toilette, puis, bien décidé cette fois à ne pas me faire piéger à l'intérieur, je me suis dirigé vers les appartements 22. Après tout, un mets délicieux m'attendait à mon retour ici, et je ne voulais certainement pas le laisser se perdre.

J'ai eu de la chance. Il était encore tôt, mais Franceska était dans le jardin à l'avant de la maison avec les garçons. L'homme était aussi avec eux. Ils s'apprêtaient à sortir, visiblement.

— Alfie ! a crié Aleksy qui s'est précipité vers moi.

Je me suis couché sur le dos pour qu'il puisse me caresser le ventre.

— Oh ! il aime ce chat, a dit l'homme, Thomasz.

— Oui, il aime Alfie beaucoup.

— Je dois aller au travail maintenant, *kochanie*. Je vais essayer de rentrer avant le service de ce soir.

— Je t'aime. J'espère que la journée n'est pas trop longue pour toi.

— Tu sais comment ça se passe dans les restaurants. Beaucoup d'heures et beaucoup de nourriture.

Il a ri tout en se tapotant le ventre.

— La maison me manque, Thomasz.

— Je sais, mais ça va aller, tu vas voir.

— Tu promets ? a-t-elle demandé.

— *Oui, kochanie.* Mais, pour le moment, je dois gagner de l'argent.

— En anglais, on dit *darling.*

— Oui, mais pour moi tu es ma *kochanie,* pas ma *darling.*

Il a ri, puis a embrassé sa femme et ses deux fils avant de partir. Franceska s'est assise sur les marches et a regardé les garçons jouer. Elle avait l'air fatiguée. Je me suis assis à côté d'elle.

— Au moins, il fait soleil. Avant de venir en Angleterre, je crois il pleut tout le temps ici.

Je me suis blotti contre elle. On est restés assis, en silence. Aleksy faisait rire Thomasz à propos de quelque chose, et c'était un plaisir de les regarder. J'ai senti qu'il y avait une certaine tristesse ici aussi. J'avais l'impression que les maisons que j'avais choisies (celle de Claire, celle de Jonathan, celle de Polly et celle-ci) avaient toutes un point commun malgré leurs différences : la solitude. Et je pense que c'est ce qui m'avait attiré chez eux. Je savais que ces gens avaient besoin de mon amour et de ma gentillesse, de mon soutien et de mon affection. Plus les jours passaient, plus je sentais que telle était désormais ma mission.

J'ai regardé la porte de Polly et Matt, et j'ai compris que la réponse se trouvait juste sous mon nez. Franceska avait besoin d'une amie tout comme Polly. Après tout, Claire était beaucoup plus heureuse depuis qu'elle avait rencontré Tasha. Mon

Dieu, c'était si simple. Il fallait juste que je trouve un moyen de les réunir.

Franceska s'est levée et a appelé ses enfants.

— Venez, les garçons, on va mettre nos chaussures et on va aller au parc.

Ils sont rentrés dans l'appartement. Je me suis demandé comment j'allais faire. Je savais qu'il fallait agir vite. J'ai gratté à la porte de Polly et j'ai miaulé bruyamment. J'ai poussé des cris perçants, j'ai hurlé. Je n'allais plus avoir de voix si elle ne réagissait pas bientôt.

Elle a fini par ouvrir la porte et m'a regardé, surprise.

— Qu'est-ce qui ne va pas ? a-t-elle demandé, les yeux pleins d'inquiétude.

J'ai continué à miauler. Elle s'est penchée.

— Tu es blessé ?

J'ai continué tout en espérant que Franceska allait se dépêcher. Polly ne savait à l'évidence pas quoi faire avec moi et j'avais un peu mauvaise conscience de la stresser ainsi, mais c'était pour la bonne cause.

— Oh ! c'est horrible ! Je ne sais pas quoi faire. S'il te plaît, le chat, tais-toi.

Polly avait l'air si désespérée que j'ai failli m'arrêter ; pourtant, il fallait que je continue.

Juste au moment où j'allais capituler, la porte s'est ouverte, et Franceska est sortie avec les garçons.

— C'est quoi, ce bruit ? a demandé Franceska.

— Je ne sais pas ce qu'il a, a répondu Polly.

J'ai arrêté de miauler. Il fallait que je m'allonge un peu pour reprendre mon souffle. Aleksy est venu vers moi et m'a chatouillé. Je me suis blotti contre lui.

— On dirait qu'il va mieux maintenant, non ? a dit Franceska d'une voix hésitante.

— Mais il faisait un bruit atroce. On aurait dit que quelqu'un était en train de le torturer.

J'aurais aimé dire merci. Apparemment, j'étais aussi bon que n'importe quel acteur à la télé.

— C'est votre chat ? a demandé Polly.

— Non, il nous rend visite. J'ai essayé appeler numéro sur son collier, mais ça ne marche pas.

— Je ne veux pas de chat. J'ai déjà bien assez à faire comme ça.

Polly a éclaté en sanglots, tout à coup. Puis, un vagissement a retenti à l'intérieur de son appartement.

— Oh mon Dieu ! Henry dort dans la poussette. Il dormait, du moins.

Elle est rentrée et a essayé de ressortir avec son énorme poussette. Franceska est allée l'aider.

Quand elles ont été toutes deux dehors, Polly s'est remise à pleurer.

— C'est rien. Asseyez-vous une minute.

Franceska l'a fait asseoir sur les marches.

— Aleksy, pousse un peu la poussette pour le bébé.

Aleksy s'est exécuté, et le bébé s'est soudain arrêté de pleurer.

— Maman, je l'ai fait taire, a dit Aleksy qui n'était pas peu fier.

Même Polly n'a pas pu s'empêcher de rire.

— Je suis désolée, a-t-elle répété.

— Vous pas dormir ? a demandé Franceska.

— Non. Jamais. Henry ne dort pas. Il est loin de faire ses nuits. Il ne fait que des petites siestes dans la journée et, ensuite, il pleure. Il pleure et pleure.

— Polly ? C'est bien comme ça que vous vous appelez ?

Polly a hoché la tête.

— C'est pas grave. Je sais ce que c'est. J'en ai deux. Aleksy, il dormait jamais. Thomasz, c'est mieux.

— Vous venez d'où ?

— De Pologne.

— Nous venons de Manchester.

À l'expression de Franceska, il était évident qu'elle ne savait pas où c'était.

— C'est dans le nord de l'Angleterre. Mon mari, Matt, a trouvé un travail ici et il a dit qu'il ne pouvait pas se permettre de le refuser. C'est un bon job, mais j'ai le mal du pays, comme on dit.

— Moi aussi. Mon mari, c'est pareil. Il est chef cuisinier. Et ici, à Londres, il a trouvé un travail dans un très bon restaurant. Il veut une vie meilleure pour nous, bien sûr, mais j'ai peur et je me sens seule.

— Moi aussi, je me sens très seule. Matt travaille beaucoup et, pourtant, ça ne fait qu'une semaine que nous sommes arrivés. J'ai emmené Henry au parc et aussi chez l'infirmière puéricultrice, mais ça n'a rien à voir avec la maison. Je n'ai rencontré personne d'autre.

— C'est quoi, une infirmière puéricultrice ?

— Eh bien, quand on a un bébé, on peut aller les voir si on a des problèmes. À Manchester, elle était adorable, mais ici, on aurait dit qu'elle n'avait pas de temps à me consacrer. Elle avait l'air très occupée et, quand je lui ai dit que Henry ne dormait pas, elle s'est contentée de répondre que c'est parfois le cas chez les bébés.

— Peut-être. Mais c'était pas une réponse très utile. Aleksy ne dormait pas, mais en fait c'est parce qu'il avait très faim. Il voulait toujours boire le lait. Alors, j'ai fini par acheter du lait en poudre pour la nuit. Il en a bu et, après, il dormait un peu plus.

— Henry a toujours faim, mais je ne voulais pas lui donner de lait infantile avant ses douze mois. Je voulais l'allaiter exclusivement.

— Qu'est-ce que c'est ?

— Lui donner uniquement le sein, pas le biberon avec du lait industriel.

— Oh ! moi aussi, mais ça me rendait fou, c'est ça ?

— Euh, ça vous rendait folle. Je sais. C'est exactement ce que je ressens.

— Quelqu'un m'a dit que, le plus important, c'était d'être capable de s'occuper de son enfant correctement. Alors, il faut dormir pour être suffisamment en forme. Après, la journée, je donne mon lait à Aleksy et le soir le lait en poudre.

J'écoutais leur conversation avec le plus grand intérêt. Ces deux femmes étaient fragiles chacune à leur façon. Franceska, parce qu'elle était dans un pays étranger et qu'elle ne connaissait personne, et Polly, parce qu'elle venait de déménager et qu'elle ne dormait pas assez.

Je sentais qu'une amitié était en train de naître et, sans vouloir me vanter, j'avais le sentiment d'y être un peu pour quelque chose. Même si j'avais dû faire une peur bleue à Polly pour parvenir à mes fins. Ces deux femmes, qui avaient toutes deux des fils, qui se sentaient toutes deux seules et un peu perdues, étaient parfaites l'une pour l'autre. Je me suis dit qu'il était temps que je me rappelle à leur bon souvenir et je me suis mis à miauler.

— Oh ! Alfie, tu es toujours là, a dit Franceska.

Polly m'a caressé sans grande conviction. C'était une caresse très molle.

— Il est venu dans notre appartement l'autre jour. J'étais inquiète parce que j'ai entendu que les chats pouvaient tuer les bébés.

J'ai blêmi. Je n'appréciais pas vraiment qu'elle raconte aux gens que j'étais un assassin d'enfants.

— Je n'ai jamais entendu ça. J'adore les chats. Celui-là est très intelligent.

— Ah bon… À quoi vous le voyez ?

— Il nous a présentées. Et, si on allait au magasin maintenant, on peut acheter le lait pour bébé et après on va au parc. Et Henry, il va s'endormir comme ça.

— Ce serait merveilleux. Merci. J'aimerais avoir un peu de compagnie féminine. Et vous avez raison : on va essayer le lait infantile. J'ai le sentiment que je n'ai plus rien à perdre, de toute façon.

— Parfait. Moi aussi, j'ai besoin de compagnie. Mes garçons sont adorables, mais j'ai besoin des adultes. Désolée, je parle pas bien votre langue.

— Mais si ! Je ne sais pas parler une seule langue étrangère !

Tandis qu'elles discutaient, j'ai senti qu'une amitié venait bel et bien de naître.

Je les ai regardés se préparer pour partir. Thomasz avait dû lui aussi monter, bien à contrecœur, dans sa poussette. Aleksy marchait à côté, cependant que Polly poussait son immense poussette. Et Henry ne pleurait toujours pas ! Polly était très grande, mince et blonde ; Franceska était plutôt robuste. Elle n'était pas grosse, mais, alors que Polly semblait si fragile que le moindre souffle de vent aurait pu la faire tomber, Franceska semblait pouvoir résister à toutes les tempêtes. Elle était charmante avec ses cheveux courts, noirs et brillants, et ses yeux marron qui s'illuminaient quand elle souriait. Elle avait l'un des plus beaux sourires que j'aie jamais vus.

Avant de quitter le jardin, ils se sont arrêtés et m'ont dit au revoir. Aleksy m'a demandé de revenir vite et j'ai ronronné, car j'avais très envie de rendre visite encore une fois à ce petit garçon adorable. J'avais comme l'impression qu'il allait devenir mon ami.

Elles semblaient si différentes quand elles sont parties dans la rue. L'une si blonde, l'autre si brune, l'une grande, l'autre petite, mais je savais instinctivement qu'elles allaient bien ensemble et j'avais le sentiment que, bien qu'involontairement, j'avais favorisé leur rencontre. Et, sans vouloir me vanter, je pensais qu'on pouvait m'en attribuer le mérite.

J'étais intrigué par l'histoire de ces femmes et j'espérais vraiment passer plus de temps avec elles, ensemble. Je me réjouissais à l'idée de me prélasser avec elles sur la pelouse à l'avant de la maison ; je ne m'en lasserais jamais. Et mon amitié avec Aleksy et Thomasz s'épanouirait, car tous les petits garçons méritaient un chat. C'était une bonne journée. Une amitié était née, et Dieu seul savait où elle nous mènerait.

20

Être un chat de pas-de-porte n'était pas de tout repos. Les semaines passant, j'étais de plus en plus occupé, tandis que j'essayais de jongler entre mes quatre maisons. Je commençais à réaliser que ce n'était pas si facile d'être un chat avec quatre familles. C'était certes gratifiant, mais ça demandait beaucoup d'énergie. J'avais commencé à établir un emploi du temps, mais il n'allait pas toujours de soi de le respecter.

Plus les jours passaient, plus Claire semblait détendue, et je savais que le processus de guérison était en route, car, bien sûr, j'étais passé par là, moi aussi. Je voyais en elle ce que j'avais senti en moi.

Comprenez-moi bien : on ne guérit jamais complètement. On garde en soi un peu de souffrance, un peu de fragilité, qui font désormais partie de notre caractère, et on apprend tout simplement à vivre avec. C'est ce qui se passe, à mon avis ; c'est du moins ainsi que je l'ai ressenti. J'aimais voir Claire sourire ; j'aimais la voir de plus en plus en forme. Elle avait pris un peu de poids. Elle ne ressemblait plus à un moineau tout maigre. Elle avait les joues plus roses et bien meilleure mine.

Beaucoup de femmes s'étaient succédé dans la maison de Jonathan. Certes, il en venait de moins en moins souvent, mais il avait enchaîné à mes yeux un nombre alarmant d'aventures, comme il disait. Pour être tout à fait juste, je dois dire que, depuis qu'il travaillait, il était beaucoup plus raisonnable. Il se couchait tôt ou continuait à travailler dans la soirée quand il n'allait pas à la salle de sport. Et il avait vraiment meilleure mine, lui aussi. C'est vrai qu'il était plutôt bien de sa personne et, maintenant qu'il était moins renfrogné, il était encore plus beau.

Jusqu'à présent, j'avais partagé mes soirées entre Claire et Jonathan. Tant qu'ils me voyaient un peu, tous les deux, ils étaient contents. En général, Claire rentrait plus tôt que Jonathan. Nous dînions ensemble, puis nous traînions un peu. Je me blottissais contre elle pendant qu'elle lisait un livre, regardait la télé ou discutait au téléphone avec un verre de vin, et ensuite je savais qu'il était temps pour moi d'aller voir Jonathan.

J'étais là pour le saluer à son retour du travail. Souvent, le soir, il se remettait devant son ordinateur, ce qui n'était pas très amusant pour moi ; alors, j'avais pris de nouvelles habitudes : je sortais pour faire une longue promenade ou je courais pour me dépenser un peu.

J'avais pris du poids, avec tous les repas que j'engloutissais dans la journée, mais j'étais encore loin d'être aussi gros que le chat roux à quelques portes de la maison, un matou qui pouvait tout juste bouger et qui se serait fait distancer par n'importe quelle souris.

Je passais voir Tigresse et nous traînions parfois avec d'autres chats du quartier. Même les plus méchants d'entre eux semblaient s'être habitués à moi. Après ces moments de détente et d'échanges, je décidais chez qui j'allais dormir. J'alternais entre la maison de Claire et celle de Jonathan. Le problème, c'est qu'ils semblaient tous deux apprécier de me voir le matin quand ils se levaient. Lorsque je dormais chez Claire, je me réveillais en même temps qu'elle et je filais chez Jonathan pour le saluer avant qu'il ne parte au travail et vice-versa. C'était épuisant, mais je faisais de mon mieux pour satisfaire tout le monde. Veiller à leur bonheur était loin d'être une tâche facile, cependant. Et ma vie était incroyablement complexe.

Le jour, pendant que Claire et Jonathan étaient au travail, j'allais aux appartements du numéro 22. C'était parfait pour moi. Je me postais souvent devant la porte de Franceska et miaulais. Quelques instants plus tard, elle ou Aleksy venait m'ouvrir. Ils me donnaient du poisson, en général des sardines, mais, ce que j'aimais par-dessus tout, c'était quand Aleksy jouait avec moi. Nous nous amusions tellement. Je me mettais sur le dos, et il me chatouillait le ventre. C'était devenu mon jeu préféré. Le foyer était heureux la plupart du temps.

Parfois, quand Thomasz dormait et qu'Aleksy jouait, je trouvais Franceska dans la cuisine, appuyée contre le plan de travail, le regard lointain... Elle semblait être à des kilomètres et des kilomètres de là. Je savais qu'elle avait un peu le mal de pays, mais elle était sans doute l'adulte la plus résistante de mon nouvel entourage, car, la plupart du temps, elle ne laissait rien paraître et veillait toujours à ce qu'il y ait beaucoup de rires dans sa maison.

Pourtant, j'avais souvent l'impression que, si son corps était bien présent, sa tête était parfois en Pologne. Ça me faisait penser à l'époque où je vivais dans la rue. Ma tête et mon cœur étaient très loin, avec Margaret et Agnès, même si je ne savais pas vraiment où elles étaient.

Un week-end, je suis allé me poster devant la porte de l'appartement de Franceska. Claire étant sortie pour la journée avec Tasha, Jonathan ayant retrouvé des amis pour quelque chose qu'il appelait un « brunch », j'avais décidé de passer voir Franceska. C'est son mari, le grand Thomasz, qui m'a laissé entrer. Ils m'ont tous accueilli avec leur joie habituelle en me câlinant, me chouchoutant. Thomasz semblait très gentil, lui aussi. Il a joué avec les enfants pendant que Franceska préparait un bon repas pour toute la famille. Il était très affectueux aussi bien avec sa femme qu'avec ses fils, et j'ai vu que, même si elle trouvait la vie difficile, parfois, elle était entourée d'amour. Ça m'a rassuré parce qu'elle le méritait vraiment. C'était une famille si chaleureuse, si aimante que mes moustaches en frissonnaient.

Parfois, je voyais Polly et son bébé Henry avec Franceska. Comme c'était l'été, elles se retrouvaient souvent dans le jardin à l'avant de la maison. Elles avaient pris l'habitude de boire le café ensemble pendant que les garçons étaient tous assis sur une couverture.

En fait, Henry était plutôt couché sur la couverture, mais il ne pleurait pas autant que d'habitude et il semblait trouver apaisante la présence des garçons plus grands. Ils agitaient des hochets pour l'amuser et ils réussissaient même à le faire rire. Pourtant, Polly semblait toujours aussi tendue, et je la voyais rarement sourire. Il y avait quelque chose de troublant dans son attitude.

Non seulement les deux femmes ne se ressemblaient pas physiquement, mais elles n'auraient pas pu être plus différentes en tant que mères. Franceska était très calme avec ses fils, qui étaient des enfants très heureux et épanouis. Polly était crispée et elle tenait Henry comme s'il était en verre. Elle semblait maladroite, même quand elle allaitait, et elle devait pleurer autant que Claire au début. Franceska disait que c'était à cause de la fatigue, que c'était pour ça qu'elle était si émotive, mais je me demandais si c'était là l'unique raison. Depuis qu'elle donnait du lait infantile le soir au bébé, il dormait plus, apparemment. Pas énormément, mais assez pour faire une différence ; alors, pourquoi n'allait-elle pas mieux ?

Franceska les invitait souvent tous les deux dans son appartement, où elle donnait à manger aux garçons et essayait de nourrir Henry. Il semblait plus heureux quand il était là-bas. Il pleurait moins, il souriait et il riait. Je me demandais parfois si Polly le remarquait.

Elle était si triste que je ne savais pas si elle enregistrait la moitié de ce qui se passait autour d'elle. De tous les humains que je côtoyais, c'était celle pour qui je me faisais le plus de souci. Pourtant, j'avais décidé d'arrêter d'aller dans son appartement. Ce n'était pas une bonne idée. Polly me tolérait, mais elle continuait à me traiter avec suspicion, même si elle avait sans doute encore plus besoin de moi que mes autres familles. Mais j'ignorais pourquoi.

J'observais ces humains qui étaient tous si différents de ma Margaret. Ils étaient d'abord beaucoup plus jeunes qu'elle et moins ridés, mais ils se distinguaient d'elle par bien d'autres aspects. Claire s'épanouissait et ne ressemblait plus du tout à la femme maigre, hirsute et larmoyante que j'avais connue. Elle avait encore des moments de tristesse quand nous n'étions que tous les deux, mais ils étaient de plus en plus rares.

Jonathan était toujours complexe, mais lui aussi était plus heureux. Je pense que ce n'était pas uniquement lié à son travail, mais aussi aux nouveaux amis qu'il s'était faits dans l'entreprise. Pas uniquement des femmes avec de gros seins et des cheveux brillants. Pourtant, je le trouvais quand même trop solitaire.

Il n'invitait personne dans sa grande maison vide à part ses conquêtes féminines. Il sortait un peu, à peu près autant que Claire, mais il avait encore des moments où il semblait avoir perdu quelque chose. C'est exactement ce que je ressentais quand je me réveillais durant les semaines qui avaient suivi la mort d'Agnès. Dès que j'ouvrais l'œil, je la cherchais avant que la triste réalité ne me rattrape et que je me souvienne qu'elle n'était plus là. On aurait dit que Jonathan cherchait lui aussi quelqu'un qui n'était plus là.

Franceska était celle qui ressemblait le plus à Margaret. Elle paraissait si solide, si raisonnable, et, si elle avait parfois le mal du pays, c'était sans doute la plus équilibrée de tous.

Polly était aux antipodes. Elle était si fragile qu'elle semblait sur le point de se briser, et parfois je me demandais même si ce n'était pas déjà fait.

Chacun d'eux avait besoin de moi à sa façon, et tous les jours je me jurais d'être là pour eux et de tous les aider.

J'avais survécu et je devais aider les autres à survivre aussi.

Le problème, c'était que j'avais du coup un emploi du temps très chargé et que je ne pouvais pas être aux quatre endroits en même temps. Pourtant, si je voulais que mon plan fonctionne, il le fallait.

— C'est beaucoup de travail, ai-je dit à Tigresse.

— J'imagine… Quatre maisons. Quatre personnes et parfois leur famille à rendre heureuses.

Tigresse a frissonné.

— Ma maison me suffit bien, mais je te comprends.

— Je ne veux plus jamais être tout seul. Il faut que je veille à ce qu'il y ait toujours quelqu'un pour s'occuper de moi, Tigresse.

— Je sais. D'ailleurs, la plupart des chats pensent que la loyauté est une valeur complètement surfaite.

— Mais je suis très loyal… à quatre familles différentes. Il faut que j'apprenne à me partager entre tous.

— Alfie, arrête d'être pessimiste. Mes maîtres sont mariés et, même s'ils n'ont pas d'enfants, si quelque chose devait leur arriver… Eh bien, avant de te rencontrer, je n'y avais même pas songé.

— J'espère que ce qui m'est arrivé ne t'arrivera jamais, mais tu as de la chance parce que, si un jour c'était le cas, je serais là pour m'occuper de toi.

— Merci, Alfie, tu es un bon ami.

— Tigresse, je ne souhaite à personne, chat ou humain, ce que j'ai enduré. J'ai appris, à mes dépens, l'importance de la compassion. Je sais ce que c'est quand il n'y en a aucune. Et, bien que j'aie eu la chance de rencontrer des chats et des êtres compatissants pendant mon périple et dans mes nouveaux foyers, je sais que c'est crucial pour notre survie. Pour nous tous.

— Tu ne seras plus jamais seul, a fait gentiment remarquer Tigresse.

C'était vrai : la compassion se nourrissait des autres. C'est ce que j'avais appris. C'est grâce à la compassion de certains chats et de certains humains que j'avais pu survivre après la mort de Margaret. J'ai réalisé que la vie était bien étrange. J'aurais certes beaucoup aimé rejoindre Margaret et Agnès, mais, au fond de moi, je voulais survivre, continuer à vivre et je ne comprenais pas.

21

J'étais chez Claire. J'étais en train de dormir sur son canapé dans la salle de séjour. Claire ne m'interdisait pas vraiment de dormir sur son canapé, mais elle m'encourageait gentiment à me contenter de mon panier. Toutefois, les derniers rayons de soleil entraient à flots par la fenêtre, rendant l'endroit que j'avais choisi délicieusement chaud et irrésistible. C'était exactement ce dont j'avais besoin au terme d'un après-midi difficile.

J'étais rentré de chez Franceska affamé. J'avais joué avec Aleksy pendant des heures, mais il n'y avait pas eu de sardines, pas de lait, rien. Franceska n'était pas aussi joviale que d'habitude. Elle semblait distraite. J'avais essayé de passer un peu de temps avec elle, toute seule, mais c'est tout juste si elle avait remarqué ma présence. J'étais un peu vexé qu'on puisse m'ignorer à ce point. Je savais que les humains avaient des problèmes, mais ça n'était pas une excuse pour qu'ils m'ignorent !

Après tout, j'étais là pour aider Franceska quand ça n'allait pas. Et Polly et Henry ne s'étaient pas manifestés. Je ne les avais ni vus ni entendus de tout l'après-midi. Ils étaient rentrés chez eux, avec Matt, juste au moment où je partais. Matt poussait la poussette, et Polly semblait un peu plus détendue pour une fois, mais ils étaient en grande conversation et ils ne m'avaient même pas remarqué. Et ce n'était que le début. Avec le soir qui tombait, les choses n'ont fait qu'empirer.

Claire était à la maison et se préparait à sortir. Elle avait certes mis de la terrine et du lait pour moi, mais elle n'avait pas le temps de discuter avec moi ou de me câliner. Elle semblait très heureuse et elle ne songeait qu'à s'habiller et à se faire belle. Elle portait une très jolie robe noire et elle avait mis des chaussures à hauts talons devant la porte. Je ne l'avais jamais vue porter des talons aussi hauts, pas même pour le travail. Elle avait aussi passé des heures à se coiffer les cheveux et avait appliqué des tonnes de trucs sur son visage. Une fois qu'elle a eu terminé, elle ne ressemblait plus du tout à ma Claire.

— Alfie, ne m'attends pas, je sors avec les filles, a-t-elle dit en souriant, mais elle ne m'a pas pris dans ses bras, ni même caressé.

Elle a certainement pensé que je risquais de salir sa robe avec mes poils. Comme si je perdais mes poils ! J'étais un peu blessé, mais je savais que c'était égoïste de ma part, car, si je voulais son bonheur, je devrais me réjouir pour elle. C'est ce que j'ai essayé de faire. Pourtant, quand elle est partie, je n'ai ni ronronné ni redressé mes moustaches. J'étais vraiment abattu. Comme je m'ennuyais et que je me sentais seul, je suis allé chez Jonathan, mais il n'était pas là. Apparemment, il n'était pas rentré du travail et il ne m'avait rien laissé à manger. Mes gamelles du déjeuner, vides, étaient toujours par terre. J'avais certes suffisamment mangé, mais je ne pouvais pas m'empêcher d'être un peu déçu, pas uniquement à cause de l'absence de nourriture, mais aussi du manque d'attention.

J'ai réalisé que les chats devaient toujours rester vigilants. Ce n'était pas parce que je n'étais plus un chat sans domicile qu'il fallait que je me croie définitivement à l'abri du besoin. Les humains étaient loin d'être stables et on ne pouvait pas toujours compter sur eux. Bien sûr, il ne fallait pas exagérer. Je savais qu'ils étaient toujours là pour s'occuper de moi, mais il fallait que je sois plus autonome et peut-être un peu moins sensible. Après tout, j'avais été un chat de gouttière pendant quelque temps ; alors, il n'y avait pas de raison pour que je redevienne si délicat.

Pourtant, je l'étais encore. Et je me sentais un peu perdu. Je suis allé me promener, mais je n'avais aucune envie d'aller bavarder avec d'autres chats pas même avec Tigresse. Je m'apitoyais sur mon sort. J'ai erré dans la maison de Jonathan, allant même dans les pièces qu'il n'utilisait jamais, mais ça n'était pas franchement amusant. Je me suis dit que je pourrais chasser une petite proie pour lui en faire cadeau, mais à quoi bon ? Pourquoi le récompenser pour sa négligence ? J'étais un peu triste en retournant chez Claire, et c'est là que je me suis endormi sur son canapé, à l'endroit le plus exposé aux rayons du soleil.

J'ai été réveillé par le bruit d'une clé qui tournait dans la serrure de la porte d'entrée et par des gloussements. J'ai regardé dehors : il faisait nuit noire. Claire est entrée dans la salle de séjour, au bras d'un homme qui semblait la porter à moitié et que je n'avais jamais vu. Je me suis immédiatement levé et j'ai dressé la queue, méfiant, prêt à intervenir pour la sauver. C'est alors qu'une lumière s'est allumée.

— Alfie est là, Alfie mon mignon.

Claire parlait bizarrement : elle n'articulait pas correctement. Je me suis immédiatement écarté de son chemin. Je savais qu'elle était ivre. Elle n'était pas dans le même état que les ivrognes que j'avais croisés ; elle n'était pas méchante comme eux. Mais elle avait quand même quelques ressemblances avec eux. Si je la laissais me prendre dans ses bras, elle me lâcherait certainement, avec la chance qui me caractérisait.

— Bon, Claire, tu es arrivée à la maison saine et sauve ! Je ferais mieux d'y aller maintenant.

L'homme se balançait d'un pied sur l'autre comme s'il ne savait pas vraiment quoi faire.

— Nooon, Joe, tu vas bien boire un café ?

Elle a éclaté de rire comme si c'était la chose la plus drôle qu'elle ait jamais dite. Je ne pensais pas que c'était le cas, cependant.

— Merci, mais il vaut mieux que j'y aille, Claire. Honnêtement, tu me remercieras demain matin.

L'homme avait l'air plutôt gentil, mais il avait des cheveux roux qui me rappelaient le pelage du gros chat en bas de la rue. Elle s'est jetée à son cou littéralement, et ils sont tous deux tombés à la renverse sur le canapé. J'ai filé de justesse. Pour un peu, je me faisais écraser. Claire a pouffé de nouveau, et Joe semblait se débattre pour se libérer de son étreinte.

— Claire, tu as un peu trop bu, a-t-il insisté, et il semblait légèrement exaspéré.

C'était une affirmation en dessous de la vérité !

— Je dois vraiment y aller, mais je t'appellerai, je te le promets.

— S'il te plaît, ne t'en va pas, a-t-elle bredouillé.

Mais il s'est levé, l'a embrassée sur la joue et est parti.

— Oh mon Dieu, je suis vraiment nulle.

Claire s'est mise à pleurer dès que la porte s'est refermée. Elle a sangloté comme les premiers jours, et c'était inquiétant. Ensuite, au lieu d'aller se coucher dans son lit, elle s'est allongée sur le canapé et, quelques secondes plus tard, elle ronflait déjà.

J'avais certes déjà vu ce comportement, mais je ne savais pas quoi faire. D'ailleurs, je ne pouvais pas faire grand-chose, si ce n'est me blottir contre elle et ronfler avec elle.

Quand elle s'est réveillée, le lendemain matin, elle avait une mine épouvantable.

— Oh mon Dieu ! a-t-elle dit en empoignant ses cheveux. Qu'est-ce que j'ai fait ? a-t-elle demandé en me regardant. Alfie, je suis désolée. J'espère que ça va !

Elle a essayé de se lever.

— J'ai mal à la tête, c'est atroce !

Elle s'est laissée retomber sur le canapé.

— Oh mon Dieu, mon Dieu ! a-t-elle répété en prenant sa tête dans ses mains et en gémissant.

J'ai miaulé pour lui faire comprendre que j'avais faim.

— Oh ! Alfie ! Tu ne peux pas baisser d'un ton ? On dirait une corne de brume.

Comme je ne savais pas ce que c'était, j'ai continué à miauler, et je ne comprenais pas pourquoi elle était comme ça. Si on se sentait si mal après avoir bu, pourquoi les humains continuaient-ils à s'enivrer ?

Finalement, elle s'est relevée et est allée dans la cuisine. Elle a bu un verre d'eau, puis un autre qu'elle a vidé d'un trait. Elle a ouvert le frigo et a sorti de la nourriture pour moi, et son visage a pris une drôle de couleur quand elle l'a disposée sur une assiette.

— Je crois que je vais vomir, a-t-elle dit quand elle a posé l'assiette par terre.

Elle s'est précipitée aux toilettes. J'ai attaqué mon repas et je ne savais vraiment pas quoi penser. Heureusement, Claire ne devait pas travailler ce jour-là. C'était tant mieux parce qu'elle n'était vraiment pas dans son assiette. Quand elle est revenue, elle était très pâle, même si elle avait des restes du maquillage de la veille sur le visage. Elle sentait aussi très mauvais (certes pas aussi mauvais que les ivrognes dans la rue), mais il est vrai qu'en bon chat que je suis, j'ai l'odorat très développé.

— Alfie, est-ce que ce type, Joe, est venu ici hier soir ?

J'ai miaulé en espérant qu'elle comprendrait que c'était oui.

— Je ne m'en souviens plus. Oh non, il doit me détester ! Je parie qu'il ne peut plus me saquer maintenant. Dommage, il me plaisait bien. Franchement, à mon âge, je devrais être plus raisonnable. Je suis perdue.

J'ai crié vraiment fort. Je n'avais aucune envie de la perdre.

— Pas au sens littéral du terme, a-t-elle dit comme si elle m'avait compris. Désolée, Alfie, mais je vais me coucher et je pense que je vais rester au lit toute la journée.

Elle a quitté la pièce. Je l'ai regardée partir non sans une certaine mélancolie. Mes humains étaient compliqués, c'était certain. J'avais comme l'impression que je ne les comprendrais jamais complètement, ni les uns ni les autres.

Puisque je n'avais aucun espoir que Claire me soit d'une compagnie agréable aujourd'hui, je suis allé chez Jonathan, mais il n'était toujours pas à la maison. Je me suis demandé s'il n'était pas rentré et reparti très tôt, mais mes assiettes du petit-déjeuner étaient toujours par terre. À l'évidence, il n'avait pas du tout pensé à me nourrir. Devais-je m'inquiéter pour lui ? Cette pensée m'a brièvement traversé l'esprit, mais Jonathan n'était pas le genre d'homme pour qui on s'inquiétait. Si j'étais capable de me débrouiller tout seul, alors, lui aussi. Pourtant, je n'aimais guère le fait qu'il ne soit pas repassé chez lui depuis qu'il était parti travailler la veille au matin. Ce qui me contrariait le plus, c'était qu'il n'ait même pas pensé à moi. Sinon, il ne m'aurait pas fait « sauter » deux repas. Je me suis demandé ce que je pourrais faire pour lui exprimer toute ma colère.

J'ai décidé de renoncer à l'attendre et de partir. Il était évident que je n'allais pas récompenser son comportement en lui offrant un autre cadeau. Je me suis dit que, si je le laissais tomber comme il m'avait laissé tomber, il comprendrait peut-être ce que c'était. Juste au moment où j'allais sortir, j'ai entendu la porte s'ouvrir et il est entré, vêtu du même costume que la veille, l'air guilleret et frais néanmoins. Rien à voir avec Claire, c'était certain.

— Désolé, Alfie, a-t-il dit en me caressant et en me souriant comme il ne l'avait jamais fait auparavant. J'espère que tu n'as pas trop faim ; je ne pensais pas être parti si longtemps.

J'ai miaulé avec humeur pour lui montrer qu'il n'était pas pardonné et que, oui, j'attendais de lui qu'il soit là pour moi. Après tout, il ne savait pas que j'avais déjà mangé.

— Oh ! Alfie, tu es un homme du monde. Tu sais comment c'est quand une occasion se présente, a-t-il dit en faisant un clin d'œil.

J'ai cligné des yeux, puis je l'ai regardé à travers mes paupières mi-closes. Je ne savais pas comment c'était. Je n'étais certainement pas ce genre de chat. Il a ri.

— Si je ne te connaissais pas mieux, je dirais que tu désapprouves.

Il a ri de nouveau. Son téléphone a vibré. Il a lu quelque chose et a souri. Je me suis demandé s'il était ivre comme Claire la nuit dernière, parce qu'il n'était pas dans son état normal. Il semblait certes heureux, mais peut-être un peu fou.

— Excuse-moi. Bien sûr, tu as faim. Je vais te donner quelque chose à manger.

Il semblait un peu perplexe quand il a ramassé mes assiettes vides. Il a sorti des crevettes du frigo. C'était certes un de mes plats préférés, mais il ne fallait surtout pas qu'il pense qu'il allait se faire pardonner aussi facilement.

Pendant tout le temps que j'ai mangé, il a joué avec son téléphone. Il tapait quelque chose sur son clavier. Quelques secondes plus tard, son téléphone vibrait ; il a souri et entré autre chose. Je trouvais cela particulièrement irritant. Vu mon humeur, j'aurais préféré déjeuner en paix.

— Alfie, a-t-il dit enfin. J'aime bien la femme avec qui je suis sorti hier soir. Je la connais depuis un certain temps, mais pas très bien ; je l'ai revue la semaine dernière. En tout cas, elle est séduisante, drôle, intelligente et a un bon job. Je pense même que j'en pince un peu pour elle.

J'ai refusé de le regarder et je me suis concentré sur mes crevettes qui diminuaient à vue d'œil.

— Oh ! allez, tu ne vas pas me faire la tête pendant des heures ? Tu devrais te réjouir pour moi.

J'ai senti mes poils se dresser. J'aurais bien aimé lui dire que je ne pourrais certainement pas me réjouir pour lui, si son nouveau bonheur signifiait qu'il allait m'oublier. Bien sûr, je serais heureux de ne plus le voir si triste, mais je n'allais certainement pas l'avouer maintenant.

— Écoute, c'est exactement pour cette raison que je ne voulais pas de chat. Je veux être libre, tranquille, et, si je n'ai pas envie de rentrer chez moi un soir, j'aimerais pouvoir le faire sans me poser de questions. Je ne te dis rien, à toi, quand tu restes dehors toute la nuit, bon Dieu ! Je suis un grand garçon, Alfie.

Pourtant, je ne me suis pas retourné.

— Alfie, remets-toi ! La prochaine fois que je sortirai avec elle, je la ramènerai à la maison.

Je me suis retourné, mais je ne lui ai pas souri.

— Et pourquoi devrais-je me justifier et m'excuser devant un foutu chat ?

Jonathan semblait perplexe.

Je lui ai lancé un regard indigné, puis je suis sorti par la chatière. Une fois dehors, j'ai réalisé qu'il pleuvait. Je n'avais pas pensé au temps ; j'étais trop furieux pour me soucier des conditions atmosphériques, mais je m'étais fourré dans une situation délicate. Claire dormait, Jonathan était en disgrâce ; alors, je n'avais pas d'autre choix que de me mouiller (ce que je détestais) et descendre la rue jusqu'aux appartements numéro 22.

Très mécontent du comportement de Claire et de Jonathan (Margaret n'avait jamais fait des siennes comme ça), je me suis dit qu'il était temps d'accélérer mon offensive de charme avec Franceska et Polly. Elles seraient peut-être plus dignes de confiance.

Pour une fois, la chance m'a souri. Matt, le mari de Polly, entrait la poussette dans la maison quand je suis arrivé, et j'ai ainsi pu me glisser à l'intérieur.

— Salut, Alfie, a-t-il dit.

J'étais vachement content, tout à coup, à la fois parce qu'il m'avait parlé et aussi parce que j'étais au sec. Il a enlevé ses chaussures et a laissé la poussette dans l'entrée. J'ai ronronné.

— Chut, a-t-il dit doucement. Je viens juste de coucher Henry. Polly est en train de se reposer. Entre, je vais chercher une serviette pour te sécher et puis je te donnerai du lait.

Je l'ai suivi dans leur petite cuisine très propre et parfaitement rangée. Il a pris un torchon et m'a essuyé, ce qui était très agréable. Puis il a sorti le lait du frigo et a rempli la bouilloire. J'ai eu le sentiment qu'une certaine complicité s'instaurait entre nous, tandis qu'il versait un peu de lait dans un bol pour moi. Ensuite, il m'a tapoté gentiment la tête. J'ai lapé le lait le plus discrètement possible pendant que Matt se préparait un thé. Il a emporté sa tasse dans la salle de séjour et je l'ai suivi. Nous étions assis côte à côte sur le canapé. Il a pris un livre et je suis resté immobile à côté de lui, car je voulais lui montrer que j'étais capable de bien me tenir et d'être un bon chat. Je me suis ensuite pelotonné contre lui et je me suis assoupi. J'ai été réveillé quelques instants plus tard par Polly qui venait de se lever.

— J'ai dormi combien de temps ? Où est Henry ?

Elle semblait paniquée.

— Ne t'inquiète pas, chérie ! Il dort dans sa poussette et tu as roupillé deux heures environ.

— Mais il a certainement besoin que je le nourrisse ?

— Il a pris son petit-déjeuner et ce n'est pas encore l'heure de manger. Pol, il a plus de six mois, maintenant. Il serait peut-être temps de l'habituer à des horaires plus réguliers pour ses repas ?

— C'est ce que la puéricultrice a dit. Franceska aussi.

— Elles ont sans doute raison, donc. Tu veux que je te fasse un thé ?

— Oh oui, merci !

Matt s'est levé et Polly s'est assise à côté de moi.

— Salut, le chat, a-t-elle dit avec raideur.

J'ai essayé de lever les yeux au ciel. Elle connaissait mon nom.

— Pardon, Alfie, a-t-elle rectifié.

Je parvenais de mieux en mieux à communiquer avec ces humains, mais il est vrai que j'avais beaucoup de pratique. Elle a tendu la main et a effleuré mon pelage. Je suis resté immobile. Polly semblait avoir peur de moi. D'ailleurs, elle semblait avoir peur de tout. En tout cas, j'avais remarqué qu'elle avait incontestablement peur de son bébé. Le petit Henry la terrifiait. Matt est revenu avec une tasse de thé qu'il a posée sur la table devant elle. Il m'a pris dans ses bras, s'est assis et m'a posé sur ses genoux.

— J'espère que Henry n'est pas allergique à ses poils, a dit Polly.

— Bien sûr que non. Maman a un chat, et nous sommes allés plein de fois chez elle avec Henry.

— Ah oui, j'avais oublié, a répondu Polly.

Elle avait l'air distraite. Matt a plissé le front. Il semblait soucieux.

— Polly, tu es sûre que ça va ? Je sais que ce déménagement a été un gros bouleversement et je n'avais pas réalisé que je travaillerais autant dès les premiers jours, mais je me fais du souci pour toi.

— Ça va.

Elle a regardé autour d'elle et, à l'expression de son visage, on aurait dit qu'elle n'avait aucune idée de l'endroit où elle se trouvait. La pièce était toujours aussi nue ; rien n'avait bougé depuis qu'ils avaient emménagé. À part le canapé, le fauteuil et le coffre qui faisait office de table basse, il n'y avait pas grand-chose dans le séjour. Même avec le tapis d'éveil du bébé et ses jouets sur le sol, il semblait n'y avoir aucune vie dans cette maison. Rien à voir avec l'appartement d'à côté.

— C'est juste que c'est difficile et que je suis fatiguée, a-t-elle poursuivi. Je suis fatiguée et ma famille me manque. Même si j'ai Franceska, maintenant, je me sens seule.

Elle n'en avait jamais autant dit, pas même à Franceska.

— Je ferai tout mon possible pour t'aider, a dit Matt. On pourrait prévoir de passer un week-end à la maison, bientôt. Tu en aurais envie ? Si tu veux, Henry et toi pouvez rester une semaine chez ta mère. Je pourrais vous y conduire dimanche et venir vous chercher le week-end prochain.

Il semblait plutôt content de lui.

— Ah ! tu veux te débarrasser de nous ? a-t-elle répondu d'une voix qui trahissait sa panique.

— Non, vous allez me manquer tous les deux, bien sûr, mais je pensais que tu aimerais passer un peu de temps avec ta mère.

Polly a lancé un regard furieux à Matt, mais leur conversation a été interrompue subitement par les cris de Henry.

— Je vais lui donner le sein.

— Tu veux que je prépare un biberon avec du lait infantile ou du riz spécial pour bébé ? a demandé Matt.

Il avait l'air très triste. Vaincu même.

— Non, je vais l'allaiter : j'ai mal aux seins.

Elle a disparu et j'ai entendu les vagissements de Henry jusqu'à la chambre. Elle a fermé la porte et tout est redevenu silencieux. Matt a soupiré. Il avait l'air d'être ailleurs, très loin d'ici. Ça me rappelait l'expression qu'avait Franceska parfois. Il m'a caressé distraitement et, même si je savais qu'il pensait à tout autre chose, j'ai beaucoup apprécié.

Quelques instants plus tard, Polly est revenue avec Henry. Elle l'a posé sur son tapis d'éveil et il s'est amusé à attraper ses jouets.

— Il faut que nous l'encouragions à se tenir assis, a-t-elle dit.

— D'accord, je vais mettre des oreillers derrière lui.

Matt a disposé quelques coussins. Il semblait soulagé d'avoir quelque chose à faire. Il a ensuite redressé Henry et l'a incité à rester assis en agitant des jouets au-dessus de lui. Le jeu lui a plu et il a gloussé. Matt a ri. Même Polly a souri. Je me suis dit qu'ils auraient dû prendre une photo pour immortaliser cet instant et pour la regarder et se souvenir qu'ils étaient une famille heureuse. En effet, en cet instant, ils ressemblaient vraiment à une famille heureuse.

— Bon, Pol, si on allait s'acheter une poussette plus petite, on pourrait enfin se débarrasser de cet énorme machin, a proposé Matt quand Henry a fini par se lasser et qu'il s'est allongé sur le dos pour observer son pied.

— Oui, on pourrait marcher jusqu'au magasin que Franceska et moi avons trouvé l'autre jour.

Elle s'est un peu ragaillardie.

— Tu veux que je prenne le porte-bébé ?

Polly a hoché la tête, puis ils se sont préparés.

J'ai décidé qu'il était temps pour moi aussi de

partir. Je les ai regardés s'éloigner dans la rue, puis j'ai miaulé très fort devant la porte de chez Franceska. Mais personne n'est venu m'ouvrir et il n'y avait aucune lumière dans la maison. Ils étaient sortis, sans doute. Tout le monde savait où aller aujourd'hui, sauf moi apparemment.

Je suis donc passé voir Tigresse. Le réseau que j'étais en train de tisser n'était pas uniquement composé de mes familles. Il comprenait aussi mes amis chats. Ainsi, si j'étais dans le besoin, un jour, j'aurais toujours quelqu'un sur qui compter, et mon réseau se développait à vue d'œil. Je ne serais certainement plus jamais dans le besoin, mais on ne savait jamais…

— Qu'est-ce que tu veux faire ? a demandé Tigresse.

— Si on allait au bord de la mare dans le parc ? On pourrait regarder notre reflet.

C'était l'un de mes nouveaux passe-temps préférés. Tigresse et moi marchions jusqu'à la rive du petit lac, nous approchant le plus près possible du bord (sans prendre trop de risques toutefois) et nous nous regardions dans l'eau. C'était très drôle de voir notre image déformée. Un moyen très agréable de passer l'après-midi.

Nous avons ensuite exploré les jardins à l'arrière des maisons qui bordaient la rue, sautant par-dessus les clôtures et sur le toit des abris. Des plaisirs simples bien loin de toutes les absurdités auxquelles j'avais été confronté récemment.

— Oh ! regarde ce drôle de petit chien, a dit Tigresse.

Nous avons feulé, depuis notre poste d'observation sur une clôture, et il s'est mis à japper en décrivant des cercles dans son jardin. C'était un jeu rigolo et innocent. J'ai apprécié ce moment avec Tigresse. Elle était de très bonne compagnie aujourd'hui. Très accommodante, pas trop bruyante et distrayante.

22

Quand je suis arrivé chez Jonathan, un soir, quelque temps plus tard, j'ai été accueilli par une délicieuse odeur. J'ai trouvé Jonathan en train de cuisiner, ce que je ne l'avais jamais vu faire auparavant. Il y avait une bouteille de vin ouverte sur le côté et une bouteille de bière à côté de lui.

— Salut, Alfie. Tu m'as pardonné cette fois ? a-t-il demandé.

J'ai ronronné. Je ne l'avais pas beaucoup vu ces derniers jours, mais j'étais prêt à tout oublier s'il me concoctait un bon dîner. J'aimais toutes mes familles, mais il fallait bien reconnaître que c'était Jonathan qui me donnait la meilleure nourriture. Il a ouvert le frigo et en a sorti un paquet de saumon déjà ouvert. Il en a mis un peu sur une assiette pour moi et a souri chaleureusement.

Je l'ai regardé en plissant les yeux. Il y avait quelque chose de différent chez lui, mais je n'arrivais pas à mettre la patte dessus. J'ai mangé, puis je me suis installé sur le rebord de la fenêtre dans la cuisine, d'où je pouvais à la fois l'observer et jeter de temps à autre un œil dehors.

Ça m'a plu de le regarder cuisiner. Il s'était changé et était très séduisant dans sa chemise blanche et son jean. Il sentait bon aussi. Il sifflait tout en cuisinant et il dégageait une énergie nouvelle. Cela équivaudrait chez un chat à un pas vif et léger.

La sonnette a retenti, et Jonathan a littéralement bondi jusqu'à la porte d'entrée. J'ai attendu. Quelques instants plus tard, il est revenu avec une femme et j'ai soudain compris pourquoi il était de si bonne humeur. Elle était grande, mince et avait de longs cheveux auburn. Elle portait un jean et un chemisier blanc.

Elle était un peu habillée comme lui, finalement. En tout cas, elle ne ressemblait en rien aux femmes que j'avais vues ici jusqu'à présent. Elle était très séduisante, mais pas comme les autres conquêtes de Jonathan. Elle était plus soignée et portait des vêtements plus discrets.

— Philippa, je peux te servir un verre de vin ?

— Avec plaisir, merci.

Elle avait une vraie voix de snob.

— Rouge ou blanc ?

— Rouge, s'il te plaît.

Il lui a fait signe de s'asseoir à la table de la cuisine et lui a donné un verre de vin.

— Merci.

J'étais toujours sur le rebord de la fenêtre, mais elle ne m'avait pas regardé. J'ai miaulé pour lui faire savoir que j'étais là.

— C'est un chat ? a-t-elle demandé.

Quoi ? ai-je pensé. *Bien sûr que je suis un chat. Quelle question stupide !*

— Oui, c'est Alfie, a répondu Jonathan.

— Je ne t'avais pas du tout imaginé avec un chat, a-t-elle dit d'un ton pince-sans-rire.

Une fois encore, je me suis senti insulté.

— En fait, il était là quand j'ai emménagé dans cette maison. Et, si au départ je ne voulais pas d'animaux de compagnie, encore moins d'un chat, maintenant, j'ai beaucoup d'affection pour lui.

Je n'étais pas peu fier ! Tiens, prends ça dans les dents, méchante femme ! Jonathan m'appréciait vraiment.

— Je n'aime pas les chats, a-t-elle dit de but en blanc.

Je n'en croyais pas mes oreilles. J'avais bien envie de la griffer, mais je savais que c'était précisément ce qu'il ne fallait pas faire.

— Je trouve qu'ils ne servent à rien.

J'attendais que Jonathan prenne ma défense.

— Je suppose que, si j'avais un serpent ou un lézard, ça ferait certainement plus viril, a-t-il dit en plaisantant.

— Ou même un chien. Mais un chat ?

— Il est sympa, tu verras. Tu t'habitueras à lui, comme moi. Je te ressers du vin ?

J'étais si vexé que j'ai sauté du rebord de la fenêtre et que j'ai feulé le plus fort possible avant de partir d'un air digne.

— Regarde, tu l'as vexé, a dit Jonathan en riant au lieu de s'énerver comme il aurait dû le faire.

— Ce n'est qu'un stupide chat, bon sang !

Ce sont les derniers mots que j'ai entendus en sortant de la maison.

J'ai passé les soirées suivantes avec Claire, qui n'était pas dans son assiette depuis qu'elle était rentrée ivre chez elle l'autre nuit. Elle continuait à aller travailler tous les jours, mais elle avait l'air triste quand elle rentrait le soir. Je ne savais pas vraiment pourquoi, mais j'ai quand même décidé de veiller encore un peu plus sur elle. J'ignorais ce dont elle avait besoin exactement, mais je voulais qu'elle sache que j'étais là pour elle. Que je ferais tout mon possible pour qu'elle aille bien.

Tandis que nous étions en train de dîner ensemble, son téléphone a sonné. Elle a regardé l'écran, a cligné des yeux, puis a répondu :

— Allô ?

Elle a semblé un peu choquée.

— Oh ! Joe, salut !

Quelques secondes de silence ont suivi. Je ne pouvais pas entendre ce qu'il disait.

— Je suis désolée pour l'autre soir. J'étais ivre. Je ne bois pas comme ça d'habitude.

Non, en toute justice, elle ne buvait pas comme ça. Elle aimait bien boire son petit verre de vin en rentrant du travail, mais je ne l'avais jamais vue dans un état pareil.

Ils ont discuté encore un peu et j'ai vu un immense sourire apparaître sur le visage de Claire. Quand elle a raccroché, elle m'a pris dans ses bras et m'a câliné comme si j'étais un doudou.

— Oh ! Alfie, je n'ai pas tout gâché. Il vient dîner demain soir. Mon Dieu, je croyais vraiment que je m'étais ridiculisée. Qu'est-ce que je vais porter ? Et qu'est-ce que je vais cuisiner ? Ça fait des années que je n'ai pas eu de rancard amoureux ! Des années ! Mince. Il faut que j'appelle Tash.

Elle s'est levée d'un bond et a dansé un peu dans la pièce.

J'essayais de l'aider depuis des jours, mais apparemment un coup de fil d'un homme qu'elle connaissait à peine semblait beaucoup plus efficace que mon soutien moral ! Ah ! les humains ! Ça dépassait tout simplement l'entendement. Même moi, qui les côtoyais beaucoup, je n'arrivais plus à les suivre.

En allant chez Jonathan, je me suis arrêté pour regarder Tigresse essayer en vain d'attraper des oiseaux. Quand j'étais parti de chez Claire, elle était au téléphone avec Tasha. Elle était tout excitée. En m'approchant de chez Jonathan, je me suis demandé ce qui m'attendait là-bas. Quand je suis passé par la chatière, je suis entré dans la cuisine. Elle était parfaitement propre, mais vide. Je suis allé dans la salle de séjour et il était là, au téléphone.

— C'est rien, ça m'a fait plaisir de cuisiner pour toi.

Il s'est tu quelques secondes, puis a repris :

— Je suis un peu débordé au travail, mais que dirais-tu de mercredi ?

Autre silence pendant qu'elle parlait à l'autre bout du fil.

— Super. Je vais réserver dans un restaurant. À mercredi, Philippa.

Il a raccroché et a semblé remarquer ma présence.

— Alfie, mon copain, a-t-il dit d'un ton affectueux en me prenant sur ses genoux. Je suis très heureux. Je crois que je t'ai dit que je connaissais Philippa depuis des années, avant que je parte pour Singapour. Nous étions tous les deux en couple, à l'époque. Enfin, elle vivait avec l'un de mes anciens collègues de travail. Alors, imagine ce que j'ai ressenti quand je l'ai revue par hasard et que j'ai réalisé que nous étions tous les deux célibataires. Franchement, ça ne fait peut-être pas très viril d'avoir un chat, mais je suis sûr que tu me portes chance. Tu es mon talisman.

Il a ri, puis s'est préparé pour aller à son « sport ».

En retournant chez Claire, j'avais un peu l'impression d'être un yo-yo. Elle était assise à la table de la cuisine et écrivait quelque chose.

— Salut, bébé, a-t-elle dit.

J'ai regardé autour de moi jusqu'à ce que je réalise que c'était à moi qu'elle parlait. Je me suis assis sur la chaise à côté d'elle. J'aurais bien aimé pouvoir lire ce qu'elle griffonnait. La sonnette a retenti, elle est allée ouvrir et est revenue avec Tasha.

— C'est vraiment gentil à toi d'être venue. Tu es une amie extra !

— Pas vraiment. J'aurais dû insister pour que tu rentres à la maison avec moi, plutôt que de te laisser, l'autre soir.

Tasha m'a caressé.

— J'étais complètement beurrée.

— Moi aussi. C'est pour ça que je t'ai laissée avec les autres. En tout cas, tout va bien. Joe t'apprécie visiblement, toi aussi, et demain vous vous voyez.

— J'ai l'impression d'être une ado qui glousse bêtement. Mais, en même temps, je suis terrifiée ! Bon, maintenant que tu es là, je vais te dire ce que j'ai l'intention de cuisiner.

Elles ont toutes deux regardé sa liste.

— Je ne sais pas s'il aime la nourriture italienne, mais j'ai pensé à des lasagnes maison et à une salade... Je sais que ce n'est pas très excitant, mais ça devrait aller, non ?

— Je pense que c'est parfait ! À mon avis, il ne se souciera plus de nourriture quand il verra ce que tu portes.

— C'est bien là, le problème ! Je ne sais pas quoi mettre ! a objecté Claire.

— Viens en haut avec moi : tu ne vas pas tarder à le savoir.

Elles ont pouffé toutes les deux.

Je les ai suivies dans la chambre de Claire. Claire et moi nous sommes laissés tomber sur le lit pendant que Tasha ouvrait l'armoire. Elle a passé en revue les vêtements de Claire.

— Qu'est-ce que tu aimerais porter ? a-t-elle demandé.

— J'avais d'abord pensé à une robe, parce que je trouve que ça me va mieux qu'un pantalon. Mais je le reçois à la maison, chez moi : je ne voudrais surtout pas avoir l'air d'en faire trop.

— À ta place, je pencherais plutôt pour un jean. Un jean et un haut sexy seraient parfaits.

Tasha a commencé à sortir quelques hauts.

— Je pense que, si tu trouves le bon jean et le bon haut, tu enverras le bon message. En plus, tu as vraiment une silhouette de rêve. Tu vas en faire ce que tu veux !

— J'espère. Il m'a vraiment plu.

— Je ne me souviens plus très bien de lui, juste qu'il avait des cheveux roux, c'est ça ?

— Oui, il a de beaux cheveux et il est marrant, en plus.

— Eh bien, tu mérites bien de t'amuser un peu !

— Oui, je trouve, moi aussi.

Claire a pouffé.

— Bon, essaie-moi ça ; on va voir si ça va.

Je suis resté sur le lit et j'ai assisté au défilé de mode. C'était un plaisir d'entendre les deux femmes rire, surtout Claire, qui était de nouveau si désespérée ces derniers jours. Pourtant, je ne pouvais m'empêcher d'être inquiet en même temps. Si un homme, qu'elle connaissait à peine, de surcroît, pouvait la mettre dans cet état, était-elle vraiment prête à se lancer dans une nouvelle relation, si éphémère fût-elle ? J'étais sans doute loin d'être un expert, mais j'avais vu combien Claire était triste, effondrée même, quand elle avait emménagé ici, et elle venait de faire une mini-rechute. Pour moi, elle était encore très instable. Il fallait que je garde un œil sur elle.

Elles se sont finalement décidées pour une tenue et sont redescendues au rez-de-chaussée.

— Tu veux un thé ? a proposé Claire.

— Non, merci, il vaut mieux que je rentre. Dave a décidé que nous devions dîner ensemble ce soir.

— Oh ! je suis désolée de t'avoir fait venir jusqu'ici.

— Ne sois pas bête ! Je me suis bien amusée ! En tout cas, on se voit au travail demain. Mais, si jamais je n'ai pas l'occasion de te parler seule à seule, n'oublie pas : tu es censée prendre du bon temps demain soir ! Un rancard, c'est fait pour s'amuser. Ça ne sera peut-être pas l'homme de ta vie, mais il faut simplement que tu en profites. Souviens-toi, ce n'est qu'un premier rendez-vous.

— Je sais. Il ne faut pas que je prenne cette histoire trop au sérieux. C'est le début, mais je fais de mon mieux.

Après le départ de Tasha, Claire s'est installée confortablement sur le canapé et je l'ai rejointe.

— Excuse-moi. J'étais complètement déboussolée, ces derniers temps. Je t'aime, Alfie.

Je l'ai remerciée en lui adressant mon plus beau sourire de chat.

— Ça va mieux, tu sais.

J'ai miaulé pour signifier mon approbation. J'espérais de tout cœur que la situation allait s'améliorer pour Claire, mais je n'étais pas convaincu.

23

J'allais être en retard. Il fallait que je parte au plus vite du numéro 22B, où Franceska et Aleksy m'avaient déguisé et avaient pris des photos de moi dans mes différents accoutrements. Ils s'étaient amusés ainsi pendant des heures ; le petit Thomasz ne pouvait plus s'arrêter de rire, lui non plus, mais, pour moi, c'était l'humiliation totale. Ils m'avaient mis des chapeaux, des lunettes, des écharpes, tout ce qu'ils avaient pu trouver.

Puis ils avaient pris des photos avec le téléphone de Franceska et avaient ri à gorge déployée. J'étais au-dessus de tout ça, non ? Mais ils n'avaient pas l'air de cet avis, et, puisque je ne pouvais pas partir en faisant le vexé, j'ai dû supporter cette épreuve. Heureusement, j'aimais suffisamment cette famille pour savoir qu'un jour je leur pardonnerais (demain sans doute), à condition qu'ils me donnent de nouveau des sardines.

Le jeu des déguisements avait duré une bonne partie de l'après-midi. Je n'avais vu ni Polly ni Henry, mais je n'avais pas le temps de passer chez eux, parce que je voulais rentrer à la maison, chez Claire, et m'assurer qu'elle allait bien avant son dîner avec Joe.

Je suis passé à toute vitesse par la chatière. Claire

était superbe, et le plat qu'elle avait préparé sentait merveilleusement bon. Je me suis frotté contre sa jambe pour la saluer.

— Oh ! te voilà. Je commençais à m'inquiéter. Tu veux ton dîner ? Vite, Joe devrait arriver d'une minute à l'autre.

Elle a rempli mes gamelles, et j'ai vu à ses gestes qu'elle était un peu nerveuse. Elle avait disposé un petit tapis spécial sur le sol pour mes gamelles. J'ai mangé calmement, puis j'ai fait une toilette complète. Moi aussi, je voulais me faire beau pour Joe.

Claire était certes très occupée, entre le repas à préparer, mes gamelles à laver, ses cheveux à arranger, mais elle ne paraissait pas stressée. Elle semblait plus excitée qu'autre chose. Moi aussi, j'étais excité. Quand la sonnette a retenti, nous avons tous les deux sursauté. Elle a fait bouffer ses cheveux, j'ai passé ma patte sur mon pelage et je l'ai suivie dans l'entrée. Elle a ouvert la porte.

Il se tenait derrière un immense bouquet de fleurs, mais je l'ai malgré tout immédiatement reconnu. Il est difficile d'oublier de tels cheveux roux.

— Joe, entre, je t'en prie.

Il a franchi le seuil, a embrassé Claire sur les deux joues et lui a tendu les fleurs. Il avait aussi apporté une bouteille de vin.

— Merci beaucoup, elles sont magnifiques. Viens dans la salle de séjour, je vais te servir un verre de vin. Un blanc, ça te va ?

— Parfait. Ne t'inquiète pas, je me souviens où

se trouve la salle de séjour, a-t-il dit en faisant un clin d'œil.

Il m'avait complètement ignoré jusqu'à présent, mais j'ai essayé de ne pas en prendre ombrage et je les ai suivis tous les deux dans la pièce. Il s'est assis sur le canapé et je me suis installé par terre, devant lui.

— Tu as fait la connaissance d'Alfie, l'autre soir ? lui a-t-elle demandé.

— Pas que je m'en souvienne, non. Salut, Alfie.

Il a tendu la main pour me caresser.

— Joli chat, a-t-il dit en souriant.

Mais je savais qu'il n'était pas sincère, ça se sentait. D'abord, il avait failli s'asseoir sur moi l'autre soir ; alors, je savais parfaitement qu'il m'avait vu. En plus, un chat est capable de sentir ce que ressentent les gens à la manière dont ils le caressent.

Bien sûr, il y a d'autres moyens de s'en rendre compte, mais, quand les gens aiment vraiment les chats, ils les caressent avec conviction. Je pense que c'est un peu l'équivalent d'une poignée de main chez les humains. J'ai vu des gens prendre une main et la serrer vigoureusement, avec enthousiasme, quand d'autres au contraire la touchent à peine. Joe, avec sa caresse molle et tiède, n'était pas sincère et ça m'a attristé. Non seulement l'amie de Jonathan me détestait ouvertement, mais voilà que Joe, lui, me haïssait en secret. Je ne m'en sortais pas bien du tout.

Les faits n'ont pas tardé à me donner raison. Quand Claire est allée chercher les verres à la cuisine, il a balayé la pièce du regard sans daigner poser les yeux sur moi. J'ai essayé de m'approcher de lui, et, là, il m'a regardé avec des yeux vraiment méchants.

— Va-t'en, foutu chat, a-t-il dit doucement.

Profondément vexé, je suis allé m'asseoir sous le fauteuil. Il ne me restait plus qu'à me contenter d'un rôle d'observateur pendant la soirée, faute d'être invité à y participer.

Claire semblait heureuse et il se montrait charmant avec elle, mais j'ai immédiatement su qu'il faisait semblant et pas uniquement à cause de son attitude envers moi. Il la faisait rire, mais je ne comprenais pas très bien pourquoi. Rien de ce qu'il disait n'était particulièrement drôle.

— J'adore travailler dans la pub, a-t-il dit. J'aime le côté créatif et aussi le contact avec les clients. J'apprécie particulièrement cet aspect du métier.

— Sans doute, même si, de mon côté, je préfère ne pas avoir de contacts directs avec les clients dans l'exercice de mon métier. Je trouve qu'on avance plus efficacement ainsi.

— Je te comprends, Claire. Mais, en même temps, c'est un véritable défi. Tu sais, quand tu as une super idée, que le client la déteste, mais que tu veux vraiment l'imposer et tu finis par persuader le client… Il n'y a rien de tel, je trouve.

— Je pense que ça te convient mieux à toi qu'à moi. En tout cas, depuis que je suis à Londres, je commence à m'y habituer.

— C'est sûrement très différent d'Exeter.

— Oui, vraiment. Mais, tu sais, je suis très heureuse d'avoir franchi le pas.

— Trinquons à ton déménagement. Nouveaux départs, nouveaux amis.

Ils ont levé leur verre.

— Eh bien, mon nouvel ami, allons nous installer à table. Espérons que je ne vais pas t'empoisonner.

Je me suis assis sous la table et je suis resté là pendant qu'ils mangeaient, écoutant discrètement leur conversation, pas du tout intéressé par la nourriture. J'ai décidé que Joe était peut-être beau, avec ses brillants cheveux roux et ses yeux bleus, mais qu'il était parfaitement ennuyeux. Il passait son temps à parler de lui et, ce qui me rendait le plus dingue dans l'histoire, c'est que Claire était suspendue à ses lèvres. Elle était drôle, intelligente et adorable, mais, pendant le dîner, elle s'est transformée en cruche. Elle me faisait vaguement penser aux femmes avec qui Jonathan avait l'habitude de sortir. Elle était d'accord avec tout ce qu'il disait. Même quand il a dit qu'il adorait chasser ! Je savais pertinemment que Claire détestait ça. Elle m'avait demandé, quand je m'étais installé chez elle, de ne jamais lui rapporter un animal mort, parce qu'elle était d'avis que c'était cruel de tuer une créature juste pour le plaisir. Si j'avais pu lui répondre, je lui aurais expliqué que c'était une façon pour les chats de montrer leur amour et leur affection, mais je me suis contenté de respecter son souhait. Et voilà que l'idiot assis en face d'elle lui parlait de la saison de la chasse, du plumage des faisans, et qu'elle n'était même pas capable de défendre son opinion comme elle l'avait fait avec moi. J'avais bien envie de lui rapporter un oiseau mort pour lui donner une bonne leçon.

En attendant, j'ai boudé sous la table, non pas qu'ils l'aient remarqué, d'ailleurs, jusqu'à ce qu'ils se lèvent et qu'ils retournent sur le canapé.

Ils ont commencé à s'embrasser fougueusement, comme s'ils luttaient l'un contre l'autre. Je ne savais pas si je devais intervenir, si je devais sauver Claire ou non, mais elle ne semblait pas avoir besoin d'aide.

— Tu es magnifique, a dit Joe quand il s'est écarté d'elle une seconde.

— Toi aussi. Viens, allons au lit.

Ils se sont précipités à l'étage sans même jeter un regard en arrière. Ils m'avaient, semble-t-il, complètement oublié tous les deux.

Tout en scrutant le ciel étoilé, je me suis dit que ma situation était de plus en plus précaire. J'avais peur que Claire et Jonathan me considèrent désormais comme une créature sans grande importance. J'espérais de tout cœur que ce n'était pas le cas. J'avais beau avoir quatre familles, mon avenir me paraissait toujours aussi incertain. Surtout depuis que Claire et Jonathan avaient trouvé des amis qui ne m'aimaient pas. Je ne m'étais pas du tout attendu à ça.

Mon expérience m'avait prouvé qu'il était possible de mettre dans sa poche des maîtres et des maîtresses, ainsi que d'autres chats, mais, avec ces deux-là, c'était une tout autre histoire. Même chez Agnès, qui s'était montrée extrêmement froide avec moi au départ, j'avais tout de suite décelé une certaine bonté. C'était vrai aussi chez Jonathan. Cette bonté, bien qu'enfouie au plus profond de lui, était néanmoins présente. Pourtant, je ne voyais rien de bon chez Philippa et Joe, et j'étais terrifié à l'idée qu'ils puissent me faire du mal.

24

C'était un spectacle rare. Franceska pleurait. Comme Thomasz ne devait pas travailler ce jour-là, il était sorti avec les deux garçons et avait dit à sa femme de prendre un peu de temps pour elle et de se reposer. Ce n'est pas exactement ce qu'elle a fait. Elle a sorti son ordinateur, s'est préparé un café très épais avant de parler à quelqu'un sur l'écran. Je n'ai pas tardé à comprendre que c'était sa mère. Elle lui ressemblait beaucoup, sauf qu'elle avait des cheveux très gris et plus de rides sur le visage. J'ai sauté sur les genoux de Franceska et elles ont ri toutes les deux. J'ai entendu Francesca prononcer mon nom ; j'ai donc supposé qu'elle m'avait présenté.

Elles ont parlé en polonais pendant longtemps et, après, Franceska a fondu en larmes. J'ai accouru vers elle, pour ainsi dire, car j'avais quitté depuis longtemps ses genoux. Elle m'a pris dans ses bras et m'a serré contre elle. Cette femme dégageait une telle chaleur, plus que tous les autres humains que je côtoyais dans cette rue, même si en général je ne suis pas enclin au favoritisme.

— Oh ! Alfie, a-t-elle dit dans un sanglot qui m'a presque brisé le cœur. Ma maman me manque tellement. Toute ma famille, papa, mes sœurs.

Parfois, j'ai l'impression que je ne les reverrai jamais.

Je l'ai regardée pour lui montrer que je comprenais. Partout où j'allais, je portais en moi tous les êtres que j'avais perdus ; c'était dans mon pelage, mes pattes et mon cœur.

— J'aime mon Thomasz et mes fils. Je sais que nous sommes là pour une vie meilleure, et Thomasz adore son travail. C'est un chef cuisinier brillant, et ici il peut bien exercer ses talents. Je sais également qu'il a de l'ambition quand nous nous sommes mariés. Je sais qu'il veut son propre restaurant et je pense qu'un jour il aura ça. Je dois l'aider. Je l'aide. Mais je suis si seule et j'ai si peur.

Je comprenais parfaitement ce qu'elle ressentait.

— Quand les garçons sont là, je fais comme si tout va bien. Mais quand je suis seule, je sens tout ça. Je ne veux pas montrer à Thomasz parce qu'il travaille dur et qu'il est fatigué. Il fait tout pour que ça se passe bien. Le travail, c'est mieux ici, mais la vie est aussi plus chère. Alors, il se fait du souci. On se fait tous du souci et parfois je me demande si ça vaut la peine. Pourquoi pas rester à la maison ? Mais je comprends aussi qu'il veut plus. Pour lui, pour nous et pour les garçons.

Et ma Franceska, mon adorable, ma belle amie, a pris sa tête dans ses mains et s'est mise à pleurer.

On est restés comme ça pendant un long moment. Puis, elle m'a doucement posé par terre, s'est levée et est allée dans la salle de bains. Elle s'est lavé le visage et a mis de la poudre comme Claire. Elle s'est redressée et s'est entraînée à sourire devant le miroir.

— Je dois arrêter ça, a-t-elle dit, et je me suis demandé si ça lui arrivait souvent.

J'espérais de tout cœur que ce n'était pas le cas. Je n'avais jamais vraiment été seul avec elle. J'avais déjà remarqué son regard lointain, mais uniquement pendant les rares instants où elle était seule dans une pièce. La sonnette a retenti juste au moment où elle s'est ressaisie. Pieds nus, elle a descendu les marches recouvertes de moquette. Polly était sur le seuil, souriante, et munie d'une bouteille de vin.

— Salut.

Franceska semblait surprise, tout comme moi. Polly souriait rarement et je ne l'avais jamais vue aussi détendue.

— Tu ne devineras jamais. On a retrouvé Matt à la sortie du travail et, sur le chemin du retour, on a croisé Thomasz, ton Thomasz.

Elle était si enthousiaste pour une fois qu'elle a dû s'arrêter pour reprendre son souffle. Et surtout, elle était plus belle que jamais, si c'était possible.

— En tout cas, les hommes ont commencé à discuter et ils n'ont pas tardé à parler foot. Matt a voulu montrer à Thomasz un match sur son immense télé dont il est si fier. En plus, ils ont promis de faire manger les garçons. Ce qui veut dire que nous pouvons prendre une heure pour nous avec une bonne bouteille de vin ! Voilà !

Franceska, d'abord déconcertée, a fini par sourire.

— Alors, entre vite avant qu'ils changent d'avis.

Elles se sont mises à rire toutes les deux.

— Je sais que je ne laisse jamais Henry, mais il

mange très bien ses purées de légumes et j'ai tiré du lait, alors, comme Matt me l'a fait remarquer, il n'y a rien qui m'empêche de prendre un peu de temps pour moi et encore moins un verre de vin.

Polly a suivi Franceska dans la cuisine, où elle a rempli deux verres de vin.

— *Na Zdrowie,* a dit Franceska en levant son verre.

— J'espère que ça veut dire « Santé », a répondu Polly.

Elles sont allées s'asseoir dans le séjour et je les ai suivies. Polly n'avait même pas prêté attention à moi, mais j'ai essayé de ne pas m'en offusquer. Elle s'intéressait rarement à moi, de toute façon. Elle me considérait sans doute comme une créature sans importance. Ça ne voulait pas dire pour autant qu'elle ne m'aimait pas. Elle n'aimait pas grand-chose ni grand-monde en ce moment. Je savais qu'au fond elle n'était pas méchante contrairement aux nouveaux venus dans ma vie.

— Alors, comment ça va pour toi ?

— Ça va. Je sais que ça paraît terrible, mais je n'ai pas quitté Henry d'une semelle depuis qu'il est né. Pas même pour une heure. Ça m'est arrivé, bien sûr, de faire une sieste pendant que Matt s'occupait de lui, mais je n'ai jamais été dans une maison différente, par exemple. C'est une grande première pour moi ! Je n'ai jamais été aussi éloignée de lui que là, dans ton appartement !

— Toutes les mamans ont besoin de faire une pause de temps en temps.

— Oui, c'est sûr. Mais je me sens déjà coupable.

La joie de Polly a été de courte durée, et une ombre est venue ternir l'éclat de ses yeux.

— Le sentiment de culpabilité des mères... On l'a dès qu'on tombe enceinte, a dit Franceska en riant doucement.

— Sans doute. C'est ce que maman dit toujours. Elle me manque tellement.

Les yeux de Polly exprimaient de nouveau une grande tristesse.

— Oh ! à moi aussi. Elle manque beaucoup à moi aussi.

— Tu vois, on a beaucoup de points communs, a dit Polly en souriant.

Ses dents étaient si blanches et si parfaites. J'étais sûr que cette femme aurait pu être top-modèle.

— Dans ce cas, nous devons nous habituer à prendre les cadeaux que nos maris nous donnent. Le mien est trop occupé pour ça.

— Le mien aussi. Bon, mais arrêtons de nous lamenter. On va s'amuser pendant cette petite heure ! Je pense qu'il est important qu'on en profite au maximum.

— Super ! Tu sais, Polly, tu es ma première amie anglaise.

— Et toi, tu es ma première amie londonienne et ma seule amie polonaise, en fait. Je suis tellement contente que tu habites juste à côté.

Les deux femmes semblaient un peu émues, moi aussi d'ailleurs. C'était sans doute la journée qui voulait ça.

Quand Polly est partie, elles n'avaient bu que deux verres, mais elles riaient toutes les deux et semblaient heureuses. Thomasz est rentré à la maison avec les garçons, et Polly, aussi joyeuse que lorsqu'elle était arrivée, est allée rejoindre son mari et Henry.

— Salut, Frankie, a-t-elle dit en l'embrassant sur la joue et en utilisant le diminutif de son prénom plus affectueux. Franceska préférait d'ailleurs qu'on l'appelle ainsi.

— Matt, il est gentil, a dit Thomasz une fois qu'ils se sont retrouvés seuls.

— Oui, c'est une gentille famille. Je pense que nous pouvons être amis.

— Oui, au début, je croyais qu'ils nous prenaient de haut parce que nous sommes polonais.

Le visage de Thomasz s'est assombri.

— Je sais, mais tout le monde n'est pas comme ça. Nous avons de la chance, parce que nos voisins sont pas comme ça. Un voile de tristesse est passé devant ses yeux.

— Mais les autres…

— N'en parlons pas, Thomasz. Je n'ai pas envie.

L'inquiétude se peignait sur son visage.

— Je crois qu'on doit en parler, au contraire.

— C'est une femme juste et elle va s'arrêter. Une vieille femme. Elle comprend rien au monde moderne.

— Mais nous ne touchons pas d'allocations. Et je ne veux pas qu'on te parle mal dans la rue.

— Arrête, Thomasz, s'il te plaît. Tu n'as pratiquement pas de jours de congé. Ne gâche pas celui-là.

Elle a quitté la pièce pour aller retrouver les garçons et je me suis demandé ce qu'elle avait voulu dire. Quelque chose avait dû m'échapper. D'après ce que j'avais cru comprendre, quelqu'un lui avait dit quelque chose de méchant. Si je trouvais qui c'était, je ne manquerais pas de lui feuler, de lui cracher dessus et de le griffer. Personne n'avait le droit de faire du mal à ma Franceska.

Quand je me suis posté devant la porte d'entrée pour qu'on me laisse sortir, j'avais plus de questions que de réponses, mais il était temps que j'aille voir Claire et Jonathan. Il était temps aussi que j'aille m'informer du menu de mon dîner.

25

La situation empirait. J'étais devenu un chat très inquiet. Si je n'avais pas échappé à quelques contretemps et contrariétés, mon plan avait parfaitement marché au départ. Pourtant, depuis un mois, rien n'allait plus.

Jonathan passait de plus en plus souvent ses nuits dehors et, en général, il oubliait, bien sûr, de me laisser à manger. Dès que je le revoyais, il prenait un air contrit, mais il souriait deux secondes plus tard comme un chat fou, si bien qu'il n'était pas du tout crédible. Il était soudain très heureux avec son horrible Philippa. Et Philippa n'était pas très contente de moi. Chaque fois qu'elle venait chez nous, il fallait qu'elle fasse toute une histoire parce que Jonathan me laissait monter sur les meubles, et ce n'était pas du tout hygiénique parce que j'étais sale (un mensonge éhonté !). J'étais l'un des chats les plus propres de ma connaissance. Je soignais tout particulièrement mon apparence.

Cette femme ne m'aimait pas, c'est tout. La veille au soir, j'étais arrivé chez Jonathan au moment du dîner. Philippa était assise sur le canapé, mon canapé, à côté de Jonathan. Il lisait un grand journal, elle lisait un magazine, et ils étaient assis là comme s'ils étaient ensemble depuis longtemps. J'étais tellement contrarié que mes poils se sont hérissés. Jonathan a levé les yeux.

— Alfie, je me demandais où tu étais ! Je t'ai laissé à manger à la cuisine.

Je l'ai regardé. Je ne serais jamais passé devant une gamelle pleine sans m'arrêter.

— Oh non ! Je l'ai remise au frigo. C'est dégoûtant de laisser la nourriture dehors, a dit Philippa.

Je lui ai lancé mon regard le plus méchant, et même Jonathan a haussé les sourcils. Il s'est levé et est allé dans la cuisine. Il a ouvert le frigo et a posé par terre l'assiette qu'il m'avait préparée.

— Désolé, mon pote, a-t-il dit en retournant dans le séjour.

Ils étaient toujours assis au même endroit quand je les ai rejoints après avoir terminé mon repas. J'ai sauté sur les genoux de Jonathan pour le remercier.

— Ça ne te fait rien ? a demandé Philippa en le regardant d'un air désapprobateur.

Elle avait le visage d'une snob, si vous voulez mon avis.

— Non, pas du tout. C'est un bon chat.

— Je ne pense pas que ça soit une bonne idée d'encourager les chats à monter sur les canapés.

— Ce n'est pas si grave : il ne perd pas beaucoup de poils.

C'était bizarre d'entendre Jonathan prendre ma défense. Après tout, il m'avait accusé de tous les maux, au départ, et il n'aimait pas que je monte sur les chaises et les canapés ; il ne voulait même pas de moi dans sa maison.

— Eh bien, moi, je trouve que ce n'est pas une

bonne idée. Qu'est-ce qu'il fait quand tu es au travail ? Où a-t-il dormi la nuit dernière ?

J'avais bien envie de la griffer ! Quelle grossièreté !

— Comme les autres chats ! Il chasse, il traîne avec ses comparses. Il a l'air plutôt heureux et il finit toujours par revenir à la maison. Alors, pourquoi s'inquiéter ?

— Ce n'est pas pratique pour des gens comme nous d'avoir des animaux de compagnie ! a-t-elle dit. Et si ça ne te fait rien de ne pas savoir où il est…

— Pourquoi ai-je l'impression que nous sommes en train de parler d'un ado plutôt que d'un chat ?

Il a ri. Elle a répondu par un sourire crispé. On aurait dit que son visage allait se fendre en deux.

— Bon, Jon, tu peux me ramener à la maison ? J'aimerais beaucoup rester et continuer à parler du chat, mais il faut que je me prépare pour ma journée de travail de demain.

— Bien sûr, chérie. Je vais chercher mes clés. Je fais juste l'aller-retour, car j'ai des chiffres à revoir avant demain.

Quand Jonathan a quitté la pièce pour aller prendre ses clés, elle m'a regardé vraiment méchamment. J'ai feulé et elle a ri.

— Ne va surtout pas croire que tu es de taille à lutter contre moi, a-t-elle dit d'un ton hargneux avant de redevenir tout sourire lorsque Jonathan est réapparu.

Le plus triste dans l'histoire, c'est que, quand ils allaient se coucher, je ne pouvais plus profiter de la couverture en cachemire. Je les avais suivis dans la chambre, une fois, et Philippa s'était mise à crier comme si j'allais la tuer. Si seulement je pouvais ! Jonathan m'avait pris, m'avait porté jusqu'au palier, où il m'avait posé, puis il était retourné dans la chambre et avait refermé la porte derrière lui. J'étais exclu. Il ne voulait de moi que quand elle n'était pas là, apparemment.

Et, bien que Jonathan balayât d'un geste toutes les critiques de Philippa, je n'avais pas franchement l'impression qu'il défendait ma cause, ce qui était très décevant. Il n'y a pas si longtemps encore, j'étais son seul ami, mais il semblait l'avoir oublié. Quel Judas !

Claire ne valait pas mieux. Ma douce, mon adorable Claire était tellement entichée de Joe qu'elle semblait penser qu'il était le maître de l'Univers. Quoi qu'il dise, elle était toujours d'accord avec lui. Elle riait aussi comme s'il était drôle, alors qu'il ne l'était pas du tout. Le problème dans cette relation, c'était que Joe venait toujours chez elle. Il n'invitait jamais Claire dans son appartement.

Il prétendait qu'il n'était pas très grand et que son colocataire était pénible. Du coup, il passait un temps fou chez Claire, il dormait très souvent chez elle, depuis ce fameux dîner. C'était presque comme s'il avait emménagé chez elle. Même s'il ne disait jamais du mal de moi à Claire, il était encore pire que Philippa, parce qu'il faisait semblant de m'apprécier, mais, dès qu'elle avait tourné les talons, il me regardait comme si j'étais la pire des créatures.

Une fois, il avait carrément essayé de me donner un coup de pied pour me faire partir.

Heureusement, grâce à ma réaction rapide, j'avais pu lui échapper. Bien sûr, ça le mettait d'autant plus en rogne, mais il ne le montrait jamais en présence de Claire. Et si Claire veillait toujours à ce que j'aie à manger, elle m'ignorait plus ou moins quand Joe était dans les parages. Je n'étais plus le bienvenu. Je le sentais quand ma présence n'était pas désirée.

Ma Margaret était si fiable, rien à voir avec ces gens ! J'en ai parlé à Tigresse, mais elle n'a pas su quoi me répondre. Ses maîtres ne partaient jamais sans veiller à ce qu'elle ait tout ce dont elle avait besoin, et ils n'étaient pas méchants. Il faut dire qu'ils aimaient tous les deux les chats. Comme j'aurais aimé que Jonathan et Claire soient avec des amateurs de chats ! Il fallait absolument que Joe et Philippa sortent de ma vie, et par conséquent de celle de Claire et Jonathan, pour que je puisse envisager l'avenir avec plus de sérénité. Cependant, je ne savais pas comment m'y prendre pour me débarrasser d'eux.

L'autre problème auquel j'étais confronté depuis quelques semaines, c'était le mauvais temps. J'avais toujours apprécié le soleil et la chaleur, mais, le jour où j'avais été contraint de vivre dans la rue, j'avais dû braver tous les éléments et j'avais survécu.

Ça ne voulait pas dire que j'aimais la pluie, le froid et le brouillard ! Il avait plu toute la semaine. Claire disait que c'était parce que l'été était arrivé très tôt cette année, mais je ne comprenais pas vraiment son explication.

La pluie tombait pratiquement sans discontinuer ; les averses étaient parfois torrentielles. Je n'avais osé qu'une seule fois m'aventurer jusqu'au numéro 22 et ça faisait quelques jours que je n'avais pas vu Franceska et les autres. Je passais mes journées sur le rebord de la fenêtre, soit chez Claire, soit chez Jonathan, à regarder, le cœur lourd, les gouttes de pluie s'écraser sur la vitre.

J'étais justement chez Claire, ce matin-là, à mon poste d'observation, quand Joe et Claire sont descendus au rez-de-chaussée.

— Désolée, mon chéri, j'ai juste le temps de donner à manger à Alfie avant de partir. J'ai une réunion très tôt ce matin.

— Tu n'as même pas cinq minutes pour prendre le café avec moi ? a-t-il demandé.

— C'est à cause de toi que je suis en retard, a-t-elle répondu en gloussant. Si tu veux un café, ça ne te dérange pas de te débrouiller pour le faire et de verrouiller la porte en partant ?

— Pas du tout, a-t-il répondu en se fendant d'un sourire et en lui pinçant les fesses.

Je n'en croyais pas mes yeux. Elle est allée dans la cuisine, a mis de la nourriture dans ma gamelle, puis elle a enfilé sa veste et a quitté la maison. Il l'a regardée partir, puis ses yeux se sont posés sur moi.

— Tu n'aimes pas sortir sous la pluie ? a-t-il dit.

J'ai miaulé, un peu hésitant.

— C'est pas de veine.

Il m'a pris par le cou, a ouvert la porte d'entrée et m'a jeté dehors. J'ai atterri sur mes pattes, mais j'étais terriblement vexé et j'avais mal à l'endroit où il m'avait empoigné. En plus, j'allais me mouiller. Fou de rage, je me suis secoué et je suis parti.

Je me suis dit que mouillé pour mouillé, je n'avais qu'à marcher jusqu'au numéro 22 pour rendre visite à mes deux autres familles. Quand je suis arrivé là-bas, j'étais trempé jusqu'aux os. J'ai miaulé et j'ai gratté à la porte de Franceska, mais personne n'est venu m'ouvrir. Comme je n'ai rien entendu non plus chez Polly, je me suis demandé s'ils étaient sortis ensemble, mais où auraient-ils bien pu aller par un temps pareil ? J'étais vraiment découragé.

Quand la pluie s'est un peu calmée, je suis descendu jusqu'à la petite mare dans le parc. La matinée avait si mal commencé que j'ai décidé de m'amuser un peu à chasser un papillon ou un oiseau pour me remonter le moral. Mais, bien sûr, ils s'étaient tous mis à l'abri de la pluie. Comment n'y avais-je pas pensé ? Quand je suis arrivé devant la mare, il n'y avait pas un oiseau ou un papillon en vue.

Il ne me restait plus qu'à observer mon reflet dans l'eau pour passer le temps. Je me suis approché le plus près possible, mais l'herbe était boueuse et j'ai commencé à glisser. J'ai essayé en vain de me retenir avec mes griffes. La rive était si glissante que, malgré mes efforts pour me freiner, je m'approchais dangereusement des profondeurs glacées. J'ai miaulé bruyamment, terrifié à l'idée de tomber dans l'eau froide. Je ne savais pas nager et je ne voyais pas comment je pourrais sortir et regagner la terre ferme. J'ai tenté désespérément de rester sur la rive et c'est alors que j'ai vu encore une de mes neuf vies filer devant moi. Je me suis servi de mes griffes dans l'espoir de me raccrocher à une pierre, à n'importe quoi pour me retenir. J'ai crié de toutes mes forces, mais j'ai perdu tout espoir quand j'ai compris que je ne pourrais pas tenir plus longtemps et je suis tombé la queue la première dans la mare.

J'ai entendu un gros plouf quand j'ai glissé dans l'eau. La première chose qui m'a frappé, c'est le froid. J'ai miaulé encore en essayant de revenir à la surface, mais à peine avais-je sorti la tête de l'eau quelques secondes que je coulais de nouveau. J'avais l'impression de n'avoir plus aucune force pour lutter. La noyade semblait inévitable.

— Alfie, c'est toi ? a crié une voix familière.

Quand je suis revenu brièvement à la surface, j'ai vu que c'était Matt. J'ai essayé de miauler encore, mais aucun son n'est sorti. Je n'entendais que l'eau qui sifflait dans mes oreilles chaque fois que ma tête s'enfonçait, puis remontait.

— Alfie, essaie de nager, je viens te chercher ! a crié Matt.

J'ai essayé de barboter avec mes pattes, les griffes sorties, et j'ai aperçu Matt à genoux dans la boue, tentant de se pencher en avant.

— J'ai un bâton, essaie de l'attraper.

Je l'ai vu brièvement agiter un bout de bois vers moi. J'ai essayé de le saisir avec mes griffes, mais il était trop loin et j'ai coulé de nouveau. Quand je suis remonté à la surface, j'ai vu Matt qui était pratiquement dans la mare avec moi.

— Alfie, tu y es presque. Essaie de te calmer, a-t-il demandé d'un ton presque suppliant.

Il a tenté de m'attraper avec son bras, mais l'eau m'a de nouveau entraîné vers le fond.

Je n'avais plus aucune énergie, comme si je ne

pouvais plus me battre, mais j'ai essayé désespérément de remonter à la surface. J'avais les yeux fermés quand j'ai senti un bras se serrer autour de moi. J'ai crié, parce que j'étais un peu compressé, puis soudain tout est redevenu calme. J'ai ouvert les yeux et j'ai constaté que j'étais sur la rive, couché sur Matt, qui était trempé jusqu'aux os à cause de la pluie. Ses vêtements étaient couverts de boue.

— J'ai bien cru que tu étais fichu, cette fois, m'a-t-il dit en me serrant contre lui.

J'étais si épuisé que je n'avais même plus la force de miauler. Je me suis effondré dans ses bras.

— Viens, je te ramène à la maison pour te sécher, et on verra s'il faut que je t'emmène chez le véto.

J'étais à la fois si faible et si soulagé que je n'ai pas bougé.

Quand nous sommes arrivés à l'appartement, il m'a emmené dans la salle de bains et m'a enveloppé dans une serviette toute douce. Puis il est allé mettre des vêtements propres et secs. Encore trop épuisé pour bouger, je me suis blotti dans la serviette. Il m'a transporté doucement jusqu'au salon, puis m'a posé sur le canapé. Il m'a apporté du lait dans un bol et je l'ai bu avec gratitude.

— Qu'est-ce que tu faisais au bord de la mare ? Comment as-tu fait pour tomber dans l'eau ? a-t-il demandé.

J'ai laissé échapper un miaulement aigu.

— La prochaine fois, tu ne t'approcheras pas quand le bord est si humide et glissant. Pauvre petite bête ! Ça va mieux maintenant ?

J'ai ronronné. Je reprenais peu à peu des forces et, grâce à Matt, je me sentais mieux. Je m'en voulais d'avoir pris des risques inutiles, mais au moins il me restait encore sept vies.

— Tu te demandes sans doute où sont passés Polly, Franceska et les enfants ? a-t-il demandé.

J'ai miaulé doucement.

— Ils sont partis. Franceska a emmené les enfants en Pologne pour quelques semaines. Thomasz leur a fait la surprise et leur a réservé un billet d'avion. Quant à Polly, elle a attrapé un virus ; alors, nous avons décidé qu'il était préférable qu'elle aille chez sa mère jusqu'à ce qu'elle soit rétablie. Je passerai les week-ends à Manchester avec elle en attendant son retour.

Il m'a caressé. Mon pelage était pratiquement sec.

— Comme je suis censé travailler de chez moi cet après-midi, tu peux rester avec moi.

Il était si gai, si gentil, que je me suis senti mieux pendant quelques instants.

J'étais très reconnaissant à Matt de s'être ainsi occupé de moi, même si j'étais triste de l'absence de Franceska et d'Aleksy au moment où, après avoir frôlé la mort, j'avais le plus besoin d'eux. Je savais que je m'apitoyais un peu trop sur moi-même, surtout à cause de cet horrible Joe, mais la gentillesse de Matt m'avait un peu réconforté. Le sentiment de solitude qui m'avait accompagné si longtemps était en train de revenir. Mes familles me manquaient.

Comme je n'avais pas pu leur rendre visite ces derniers jours à cause du mauvais temps, ils n'avaient pas pu me prévenir qu'ils partaient. Mais j'avais compris lors de ma dernière visite que

Franceska avait besoin de sa maman, et Polly avait besoin de quelque chose, elle aussi. Alors, j'ai essayé d'être moins égoïste et de me réjouir quand même, car ils allaient tous bientôt revenir. Ce n'étaient que quelques semaines, après tout. Même un chat aussi anxieux que moi devrait pouvoir prendre son mal en patience.

Après avoir bu mon lait, je me suis mis en boule et j'ai dormi sur le canapé de Matt et Polly. J'ai rêvé de tous ceux que j'aimais, les êtres chers de mon passé, Margaret et Agnès, et ceux du présent, Claire, Jonathan, Franceska, les garçons, Polly, Matt et Henry. Même si tout n'était pas parfait, je n'avais aucune raison de me plaindre. Il n'y avait pas si longtemps encore, je n'avais personne. Je devais m'estimer heureux.

Quand je me suis réveillé quelques heures plus tard, je me sentais mieux et beaucoup plus sec. Je me suis secoué et j'ai sauté du canapé, laissant derrière moi la serviette un peu humide à cause de mon pelage mouillé. J'ai bondi sur les genoux de Matt pour attirer son attention, puis je suis allé me poster devant la porte.

— Ah ! tu veux partir ? a-t-il dit en souriant. J'en conclus que tu te sens mieux. Je suis bien content ! C'est marrant… On se demande tous où tu vas quand tu sors d'ici, mais je suppose que tu as une maison où on t'attend.

J'ai incliné la tête de côté. Matt a ouvert la porte.

— Salut, Alfie, reviens quand tu veux.

J'ai attendu chez Claire son retour. Encore un peu ébranlé par les événements de la matinée, je me suis couché dans mon panier et j'ai essayé de me réchauffer. Même si j'étais sec, j'avais encore un peu froid après avoir été trempé jusqu'aux os et puis j'étais un peu traumatisé.

J'ai entendu la clé tourner dans la serrure, et Claire est entrée. Comme elle était seule, je suis allé l'accueillir et j'en ai fait des tonnes pour montrer ma joie. J'avais besoin de son amour. Plus que jamais. Elle m'a pris dans ses bras, m'a fait un gros câlin, puis m'a reposé pour me donner à manger.

— Tu es un peu sentimental aujourd'hui, a-t-elle dit en posant ma gamelle sur le tapis spécial.

J'étais pratiquement collé à ses jambes.

— Je ne m'en plains pas, tu me diras, a-t-elle ajouté en riant. J'ai l'impression que tu étais un peu en colère contre moi, ces derniers temps. Tash a dit que c'était peut-être parce que tu étais jaloux de toute l'attention que j'accordais à Joe.

Je voulais lui dire que Tasha se trompait, que je n'étais pas jaloux, que j'étais juste prodigieusement agacé. Mais, bien sûr, je ne pouvais que miauler et, même si j'y mettais tout mon cœur, je n'étais pas certain que Claire puisse comprendre la teneur de mon message.

— Ah ! Alfie, tu resteras toujours l'homme de ma vie.

Elle m'a chatouillé affectueusement.

— Mais je veillerai à te le rappeler désormais.

Elle s'est remise à rire, et j'avais envie de lui dire qu'il n'y avait pourtant vraiment pas de quoi.

Son téléphone a sonné pendant que j'étais en train de manger.

— Oh ! salut, Tasha, merci de me rappeler, a-t-elle dit avec entrain.

Après un silence de quelques secondes, elle a repris :

— Non, désolée, j'allais venir au club de lecture, mais Joe m'a appelée sur le chemin du retour. Il a eu une sale journée au travail. Comme je lui ai dit qu'il pouvait passer, je ne pourrai pas venir ce soir.

Elle a de nouveau marqué une pause.

— Non, bien sûr, je ne le fais pas passer avant mes amis, mais il avait l'air si abattu. Apparemment, un client s'est plaint de lui. C'est horrible.

Autre silence de quelques secondes.

— Oh ! merci d'être si compréhensive. Si on buvait un verre ensemble demain soir ? Je te promets que je ne me décommanderai pas, cette fois.

J'étais furieux contre Tasha. Pourquoi était-elle si compréhensive ? Pourquoi Claire faisait-elle passer cet homme horrible avant nous tous ? Pour moi, c'était à cause de lui que j'avais failli me noyer ce matin ; après tout, c'était lui qui m'avait jeté dehors.

Quand Joe est arrivé, Claire s'était changée, elle s'était maquillée et elle avait rangé la maison déjà impeccable.

— Salut, toi, a-t-elle dit en le serrant dans ses bras.

— Tu as de la bière ? a-t-il demandé sans prendre la peine de lui rendre son étreinte ni même de lui dire bonjour.

— Oui, j'en ai acheté pour toi. Je vais t'en chercher une.

Elle semblait décontenancée et blessée. Les sirènes d'alarme ont retenti dans ma tête. Il n'était pas gentil avec elle comme il l'était au début. Non seulement il ne m'aimait pas, mais il agissait comme s'il n'aimait pas Claire non plus. Ce n'était pas le genre d'homme que je voulais pour ma Claire. Il n'était pas uniquement question de mon fragile ego, ai-je réalisé avec effroi. Il s'est assis sur le canapé et a allumé la télévision avec la télécommande. Claire lui a apporté sa bière et s'est assise à côté de lui.

— Tu veux en parler ? a-t-elle demandé d'une voix mal assurée.

— En fait, je voulais regarder le foot. Le match va bientôt commencer. Tu as préparé le repas ?

— Non, j'avais l'intention d'aller au club de lecture avant que tu n'appelles. Alors, je n'ai rien.

— Et si tu nous commandais quelque chose au Chinois du coin ?

— D'accord. Qu'est-ce que tu veux ?

Elle semblait blessée par sa froideur et j'étais moi aussi blessé pour elle. Il n'avait dit ni s'il te plaît ni merci. Rien.

— Des côtes de porc à la sauce aigre-douce et du riz cantonais.

Il s'est remis à regarder l'écran, et Claire a quitté la pièce. Je l'ai suivie dans la cuisine. Elle a ouvert un tiroir et en a sorti le menu d'un traiteur chinois. Je me suis frotté contre ses jambes.

— S'il est comme ça, c'est parce qu'il est inquiet pour son travail, a-t-elle murmuré.

J'ai feulé en guise de réponse. Il était comme ça, parce qu'il était horrible, un point, c'est tout. Les faits me donnaient raison. Ma première impression avait été la bonne : c'était un salaud. C'est mon instinct de chat qui me l'avait dit et il ne se trompait jamais.

Joe passait son temps à faire semblant. Il faisait semblant de bien m'aimer et il faisait semblant d'être gentil avec Claire. Désormais, il montrait son vrai visage.

Visiblement, Claire ne savait pas choisir les hommes, même si elle avait eu de la chance avec moi, bien sûr. Il est vrai qu'elle ne connaissait pas la règle numéro un que je m'étais fixée : ne jamais faire confiance à une personne qui n'aime pas les chats.

J'avais envie de voir Jonathan, mais je ne voulais pas laisser Claire dans une position aussi vulnérable. J'avais le sentiment qu'elle avait plus que jamais besoin de moi. J'ai vu qu'elle était ébranlée, perturbée, tandis qu'elle attendait assise en silence à côté de Joe qu'on leur livre leur repas. Quand on a sonné à la porte, il n'a pas bougé, n'a pas proposé de régler la note. Il l'a laissée payer et disposer la nourriture dans les assiettes.

— Tu viens manger ? a-t-elle demandé en posant le tout sur la table.

— Je suis en train de regarder le match… Je ne peux pas manger ici ? a-t-il demandé d'une voix hargneuse.

Elle l'a regardé avec des yeux très tristes.

— Je n'aime vraiment pas manger sur le canapé, a-t-elle répondu d'une voix presque timide. Tu peux voir la télé d'ici.

— Oh merde ! a-t-il crié agressivement.

Claire a sursauté. Je me suis étiré de tout mon long et j'ai feulé en le fixant.

— Ne t'avise pas de me cracher dessus, a-t-il dit en se levant.

Claire semblait perdue, mais je n'avais pas peur. J'ai craché et j'ai feulé de nouveau.

— Sac à puces, boule de poils galeuse ! a-t-il crié.

À l'expression de son visage, j'ai compris qu'il avait très envie de me tuer. Terrifié, j'ai reculé en faisant le gros dos et en miaulant.

— Joe ! Qu'est-ce qui te prend ? Ça va pas, de crier après Alfie comme ça ? a dit Claire d'une voix calme, mais forte.

Joe l'a regardée. J'ai vu qu'il réfléchissait à ce qu'il allait faire.

— Désolé, a-t-il dit sans grande conviction. Excuse-moi, je n'aurais pas dû. Désolé, Alfie. Je ne lui ferais jamais de mal, tu sais. C'est à cause du travail, c'est l'enfer. Oh ! Claire, excuse-moi. Allons manger. Je saurai me faire pardonner, tu verras.

Elle semblait un peu hésitante, mais elle l'a suivi et ils se sont assis ensemble. Il a pris sa main dans la sienne.

— Je suis vraiment navré, ma chérie.

Son hypocrisie sautait aux yeux, aux miens, du moins.

— C'est bon. Mais j'aimerais bien que tu me racontes. Qu'est-ce qui s'est passé au travail ?

— Un de mes clients a fait une grosse erreur sur son compte. Il s'est complètement trompé en établissant son budget de campagne publicitaire et, quand nous lui avons présenté la facture, il s'est mis en colère et il essaie de s'en tirer en me faisant porter le chapeau.

— C'est affreux, a dit Claire.

— Le problème, c'est que c'est un bon client et il menace de ne plus faire appel à nous. Donc, je suis le bouc émissaire tout désigné aux yeux de l'agence. Ils m'ont suspendu dans l'attente des résultats de l'enquête.

— Mais la vérité va bien finir par éclater ?

Claire semblait très inquiète.

— Bien sûr, ça va s'arranger. Ce ne sont que des manœuvres politiques, mais, en attendant, on m'a dit de ne pas venir la semaine prochaine. Quelle humiliation !

— Je comprends, mon chéri, et je vais tout faire pour te soutenir.

— Je suis vraiment désolé et je te suis très reconnaissant.

Joe a arboré un sourire de façade. Il était redevenu charmant, et Claire a avalé ses balivernes comme elle aurait bu du petit lait.

J'avais envie de crier, de lui faire comprendre qu'il ne valait rien. J'imaginais tout à fait le genre de soutien qu'il voulait : encore plus de dîners chinois à l'œil, de soirées devant la télé avec des canettes de bière apportées par Claire. J'avais entendu parler de ce genre d'hommes.

Mon instinct de chat me disait que Joe était la source du problème au travail. C'était clairement sa faute et, plus que jamais, j'ai réalisé qu'il n'était pas assez bien, vraiment pas assez, pour ma Claire.

26

J'étais chez Jonathan, j'attendais son retour du travail et j'espérais de tout cœur qu'il allait bientôt arriver.

Durant la semaine qui venait de s'écouler, la situation n'avait fait que se détériorer. Quand j'avais jeté mon dévolu sur Edgar Road, j'avais eu le sentiment que tous mes problèmes étaient désormais résolus. Pourtant, l'eau avait coulé sous les ponts, depuis. La joie et le soulagement des premiers temps avaient fait place à l'inquiétude. J'avais trouvé de nouvelles familles, de nouveaux foyers, oui, mais j'avais encore trop d'incertitudes. Néanmoins, j'étais trop attaché à eux, trop impliqué dans leur vie pour partir. D'ailleurs, ce n'était pas comme si j'avais le choix : je n'avais nul autre endroit où aller.

Les familles du numéro 22 me manquaient. Il était inutile d'aller jusque là-bas puisqu'elles n'étaient pas encore rentrées. Cependant, il m'arrivait de descendre jusqu'au bout de la rue et de rôder autour des appartements, tant je me languissais de mes amis.

Finalement, c'était encore chez Jonathan que je me sentais le mieux. Certes, l'horrible Philippa était souvent présente, mais ce n'était pas très grave, au bout du compte. Au moins, je savais où j'en étais avec elle. Si elle n'était pas gentille avec moi, elle l'était au moins avec Jonathan. Du moins, parfois. Elle disait toujours à Jonathan ce qu'il devait faire, mais il n'avait pas l'air de s'en offusquer le moins du monde. Plus j'essayais de comprendre ces humains, moins j'y parvenais.

Ce soir-là, quand Jonathan est arrivé à la maison, il s'est jeté sur moi, m'a salué, m'a fait des câlins, ce qui m'a pris complètement au dépourvu.

— Philippa est en déplacement pour plusieurs jours. On va être rien que tous les deux !

Je me suis léché les babines de joie. Je n'aurais pas dû me réjouir autant. Après tout, Jonathan ne voulait de moi que parce que sa stupide petite copine était partie. Mais j'accueillais avec le plus grand plaisir toute l'affection et l'amour qu'il pouvait me témoigner. J'ai décidé de profiter au maximum du temps que nous aurions ensemble. Si Jonathan redécouvrait combien j'étais charmant, il ne laisserait peut-être plus jamais Philippa me critiquer ou me traiter de tous les noms.

Sans oublier de passer voir Claire régulièrement (et Joe qui devenait de plus en plus fainéant), j'ai pris du bon temps chez Jonathan. Qu'il était agréable de se retrouver entre mâles ! Nous nous sommes beaucoup rapprochés durant cette période et je lui ai rapporté un ou deux cadeaux pour lui montrer que je l'avais de nouveau à la bonne.

Même s'il parlait tous les soirs au téléphone avec Philippa, il semblait beaucoup plus heureux sans elle. N'était-ce pas étrange ? Quand elle était là, il se tenait toujours un peu sur ses gardes. Il était poli, ordonné, propre. Quand il était seul, il se trimballait en survêtement, il laissait traîner les assiettes sales et semblait beaucoup plus détendu. Non pas que le désordre soit une bonne chose, à mes yeux ; je n'ai pour ma part jamais été un chat négligé. Néanmoins, je me demandais pourquoi les humains étaient si stupides. Claire était plus heureuse sans Joe, j'en étais pratiquement certain, et Jonathan était plus heureux sans Philippa. Lorsque Claire était revenue de son week-end chez ses parents, elle avait passé beaucoup de temps avec Tasha, elle avait accepté d'aller au club de lecture avec elle et elle semblait plutôt épanouie. Maintenant qu'elle était avec Joe, quelque chose manquait. La petite étincelle qui brillait dans ses yeux avait disparu. Quant à Jonathan, il était toujours un peu tendu en présence de Philippa et il semblait presque content qu'elle soit partie.

Je ne les comprenais vraiment pas. Mais alors pas du tout.

Les jours suivants, Jonathan et moi avons pris nos petites habitudes. Je veillais toujours à passer suffisamment de temps avec Claire, mais j'en passais encore plus avec Jonathan. Nous mangions ensemble, et, avec tout le poisson frais qu'il me donnait, j'étais carrément au paradis. Même les sardines ne me manquaient plus.

Nous regardions la télé ensemble. Il s'affalait sur le canapé avec sa bière et je me blottissais contre lui pendant qu'il me caressait distraitement.

Nous allions nous coucher ensemble, dans sa chambre, où la couverture en cachemire m'attendait de nouveau. Il me parlait aussi : de son travail qui lui plaisait ; de ses nouveaux amis avec qui il avait l'intention d'aller boire un verre le week-end suivant ; de sa salle de sport, où il allait trop souvent parce qu'il ne voulait pas se laisser aller. La seule personne dont il ne parlait jamais, c'était Philippa, ce qui en disait long, vraiment.

Pourtant, tous les soirs, quand ils discutaient au téléphone, il ne raccrochait jamais sans lui avoir dit qu'elle lui manquait. Il disait même qu'il l'aimait. Je n'en revenais pas. Je n'arrivais pas à croire qu'il ait réellement des sentiments pour elle.

C'est à ce stade que j'ai élaboré un nouveau plan. Tout ce qui s'était passé m'avait forcé à changer et m'avait donné de nouvelles idées. Je savais désormais ce que j'avais à faire. Jonathan ne serait jamais vraiment heureux avec Philippa, et Joe n'était pas assez bien pour ma Claire ; alors, j'ai eu l'idée brillante de tout faire pour que Claire et Jonathan se mettent ensemble. Après tout, c'était grâce à moi que Franceska et Polly étaient devenues amies. Claire et Jonathan m'aimaient tous les deux, et je savais qu'ils iraient très bien ensemble. Il ne me restait plus qu'à trouver un moyen de les faire se rencontrer.

Un jour, j'ai essayé, en miaulant très fort comme si quelque chose ne tournait pas rond, de toutes mes forces d'attirer Jonathan dehors, parce que je savais que Claire serait dans les parages à cet instant-là. Malheureusement, son portable avait sonné et, quand il avait raccroché, il était trop tard pour organiser la rencontre.

Une autre fois, j'avais essayé de persuader Claire

de me suivre jusque chez Jonathan en criant, puis en détalant à toute vitesse, mais elle avait cru que je voulais jouer et m'avait dit d'arrêter de faire l'idiot. Aucune autre idée ne m'était venue pour l'heure, mais j'étais un chat déterminé et je savais que je n'allais pas renoncer aussi facilement.

Je ne pouvais pas renoncer. Je me faisais vraiment du souci pour Claire. Joe n'avait pas quitté sa maison depuis le fameux soir où ils avaient mangé chinois. Si, il était parti une fois, mais uniquement pour aller chercher des affaires à lui. Il passait ses journées assis devant la télé à manger la nourriture que Claire avait achetée, puis, quand elle rentrait le soir, il était méchant avec elle.

Il s'excusait toujours ensuite et disait qu'il s'était emporté à cause du stress lié à sa situation professionnelle. Il avait essayé plusieurs fois de me donner des coups de pied en douce et, même si j'avais toujours réussi à lui échapper, il se faisait de plus en plus menaçant. Je ne pouvais pas partir parce que je m'inquiétais pour Claire, mais j'étais de plus en plus anxieux quand j'étais chez elle.

Tasha ne venait plus et elle me manquait. Il n'y avait que Joe, assis sur le canapé sans jamais manifester l'intention de se lever, et Claire qui s'affairait autour de lui comme une souris timide.

En le voyant la traiter ainsi, j'ai réalisé qu'il fallait absolument que je le fasse disparaître de notre vie. Il semblait l'avoir complètement envoûtée. Elle n'était pas heureuse, mais n'en était pas consciente, car elle passait son temps à essayer de lui plaire. C'était encore une contradiction humaine que je n'arrivais pas à comprendre.

Si seulement j'avais pu parler à Tasha, j'étais certain qu'à nous deux nous aurions trouvé une solution. J'étais persuadé que la transformation de Claire ne lui avait pas échappé.

Mais, bien sûr, je n'avais aucun moyen d'aller la voir ni même de me faire comprendre. Alors, je me suis mué en chat invisible, furtif. Je veillais à ne jamais me trouver sur le chemin de Joe, je me cachais sous les meubles, mais je dressais l'oreille pour tout entendre. Je savais qu'il parlait beaucoup au téléphone quand elle n'était pas là. Je savais qu'il n'allait pas retrouver son poste parce que mon intuition avait été la bonne : ce qui s'était passé avec le client était entièrement sa faute. J'étais pratiquement certain qu'il n'avait aucune intention de quitter la maison de Claire, parce qu'il était en train de laisser son appartement. La situation devenait de plus en plus catastrophique.

Quand Claire était à la maison, je me faisais voir. Elle me câlinait toujours, n'oubliait jamais de me nourrir, mais je voyais bien que sa relation avec Joe l'affectait de plus en plus. Elle avait les traits tirés, passait ses journées à s'inquiéter et maigrissait à vue d'œil.

Ce soir-là, quand elle est rentrée du travail, Joe l'a accueillie en lui demandant ce qu'elle avait prévu de faire à manger.

— Des steaks, a-t-elle répondu d'une voix lasse.

— Très bien, tu n'auras qu'à m'appeler quand ça sera prêt.

Lorsque Claire était à la maison, il passait son temps devant la télévision, buvait de la bière et la laissait tout faire. Il ne rangeait jamais, ne nettoyait jamais, ne faisait jamais les courses, ne cuisinait jamais. Et elle ne lui disait jamais rien, même si ça la contrariait forcément, elle qui était si ordonnée. Même moi, je veillais toujours à ne pas laisser traîner mes jouets pour chats.

J'étais certain qu'il ne partirait jamais et, pire encore, que Claire ne lui demanderait pas de partir. J'ai réalisé que je ne pouvais pas la laisser entre les mains de cet homme horrible qui ne m'inspirait aucune confiance ; ça rendait ma mission dans cette rue encore plus importante. C'était dans les pires moments qu'on avait le plus besoin de moi.

Je me demandais pratiquement tous les jours comment j'en étais arrivé là.

J'étais passé d'une vie tranquille et simple, entourée de l'amour que me donnaient Margaret et Agnès, à une vie sans domicile où j'avais dû me battre pour survivre. Et j'avais désormais deux résidences principales et deux autres secondaires. J'étais pris dans un tourbillon. Toutes mes familles me donnaient du souci. Je n'étais qu'un chat, bon sang ! Je n'étais pas fait pour gérer toute cette agitation.

27

Dieu merci ! L'heure du retour avait enfin sonné. En arrivant au numéro 22, j'ai vu Polly à travers la fenêtre de son appartement. Elle portait Henry qui semblait dormir. J'ai aussi aperçu Franceska et les garçons avec elle. J'ai sauté sur le rebord de la fenêtre et j'ai entendu Aleksy crier « Alfie ! »

Il était ravi de me revoir. Franceska a dit quelque chose à Polly, puis elle est venue m'ouvrir.

Ah ! quel accueil ! Aleksy s'est précipité vers moi, tout comme Thomasz, qui avait grandi pendant son séjour en Pologne. Franceska ne s'arrêtait plus de sourire, et même Polly paraissait presque contente de me voir. Elle semblait aussi beaucoup plus heureuse et en meilleure forme. Les cernes noirs sous ses yeux avaient disparu.

— Tu as manqué à moi, tu as manqué à moi, ne cessait de répéter Aleksy.

C'était tellement adorable. Si j'avais été capable de pleurer, j'aurais certainement versé une petite larme… de bonheur. Je me suis contenté d'afficher mon plus beau sourire de chat pendant le reste de l'après-midi.

— Tu étais contente de revenir à Londres ? a demandé Polly à Franceska en déposant Henry dans son berceau pour préparer un thé.

— Oui, ça va. C'était vraiment bien de rentrer à la maison, de revoir ma famille, vraiment bien. Mais Thomasz me manquait, il manquait aussi aux garçons, et j'ai compris que notre maison est ici, maintenant. J'étais triste de partir de Pologne, mais contente de revenir ici. C'est bizarre, non ?

— Oui. Et je suis si contente de te revoir, mais je n'avais pas envie de revenir. Bien sûr, Matt me manquait, mais c'était si agréable d'avoir ma mère à mes côtés pour s'occuper de Henry avec moi. Même une fois rétablie, je préférais rester là-bas, ce qui est terrible. Je sais qu'il faudrait que j'accepte ma vie à Londres comme tu le fais, mais j'ai vraiment redouté ce retour.

Elle avait l'air triste à nouveau.

— Oh ! Polly, je suis désolée. Tu dois parler avec Matt.

— C'est inutile. Sa carrière est trop importante. Avant, j'étais top-modèle, mais, maintenant que j'ai eu Henry, je ne pourrai plus jamais travailler comme mannequin. Je n'en ai aucune envie, d'ailleurs. Alors, nous devons faire ce qu'il y a de mieux pour notre avenir. Matt a trouvé un très bon poste ici. Non seulement il gagne bien plus qu'à Manchester, mais il a beaucoup plus de perspectives d'avancement. Si seulement j'étais plus douée pour la maternité !

— Oh ! Polly, tu t'en sors bien. C'est difficile, c'est tout. Je n'ai jamais trouvé ça facile de m'occuper des enfants. C'est seulement maintenant qu'ils sont plus grands que ça va mieux. Mais peut-être que ta mère peut venir ici ?

— Tu as vu la taille de l'appartement ? Bien sûr, puisque le tien a les mêmes dimensions.

Elle a ri, ce qui était plutôt bon signe.

— Pas de place, je sais. En tout cas, nous devons essayer de tirer le meilleur parti de ce que nous avons.

— Oui, Frankie, c'est exactement ce que nous devons faire. Et toi, tu le fais déjà si bien !

— Je fais de mon mieux. Polly, je ne t'ai pas dit, avant notre départ, pourquoi nous partions… C'est Thomasz qui a réservé pour moi. Une personne dans la rue a été très méchante avec moi. Elle m'a entendu parler à Aleksy en polonais, j'avais oublié, et elle a dit : « Les étrangers viennent nous prendre notre argent ; ils veulent vivre gratuitement ; vous devriez rentrer chez vous. »

— C'est affreux !

Je comprenais enfin de quoi elle parlait avant son départ et pourquoi elle avait pleuré. Ma pauvre Franceska.

— Oui, et c'était pas un jeune garçon ou… comment dit-on ?

— Un loubard ?

— Non, c'était une dame vieille. Avec des cheveux gris. Elle le dit chaque fois qu'elle me voit. Et nous n'avons rien gratuitement.

— Je sais bien. Honnêtement, il ne faut pas écouter ce que disent ces gens. Il y aura toujours des préjugés. Des gens qui ne sont pas ouverts d'esprit.

— Mais je ne veux pas que les gens disent ça à mes enfants.

— Écoute, quand Aleksy va aller à l'école à la fin

de l'été, il va très vite s'adapter. Il va se faire des tas d'amis et tu verras que ce n'est pas aussi grave que tu le penses.

C'était bizarre de voir et d'entendre Polly endosser le rôle de l'amie qui réconforte. En général, c'était l'inverse.

— Merci ! Je suis contente de te connaître comme ça. J'espère que les autres personnes sont comme toi, pas comme la vieille femme.

— D'habitude, c'est toi qui me réconfortes ! a dit Polly en s'approchant de Franceska pour lui donner une accolade.

Une fois de plus, elle avait lu dans mes pensées. Cette vision m'a fait chaud au cœur. J'avais le sentiment d'avoir joué un rôle déterminant dans l'éclosion de cette belle amitié. J'avais au moins accompli quelque chose de positif depuis mon arrivée. J'avais peur de perdre Claire, je craignais que Jonathan ne s'éloigne à nouveau de moi dès le retour de Philippa, mais je pouvais au moins me raccrocher à cette complicité entre les deux femmes. Dès que je serais triste, je pourrais penser à elles pour retrouver le sourire.

Quand Franceska est retournée chez elle pour faire goûter les garçons, je suis parti de chez Polly, moi aussi, et j'ai marché jusqu'à la maison de Claire. Mais elle n'était pas là. Je me suis dit, soudain plein d'espoir, qu'elle était peut-être sortie avec ses amies après le travail, pour une fois. Lorsque j'ai vu Joe couché sur le canapé, je me suis vite esquivé. Je suis allé chez Jonathan et je suis passé par la chatière. J'ai sursauté quand j'ai vu Philippa, assise à la table de la cuisine, devant un ordinateur. Elle portait une robe, une grande première ! Je l'avais toujours vue en pantalon. On aurait dit qu'elle avait fait un gros effort de toilette, et je me suis vaguement demandé comment elle avait fait pour entrer, étant donné que Jonathan n'était à l'évidence pas là. J'ai miaulé bruyamment.

— Oh ! fichu chat ! s'est-elle exclamée en sursautant légèrement. Moi qui espérais que mon retour à la maison serait « sans chat ». Pschitt !

Qu'entendait-elle par retour à la maison ? Ce n'était pas sa maison. J'ai commencé à paniquer. Et si, comme Joe, elle avait emménagé ? Je me suis précipité dans la salle de séjour et suis allé bouder sous un fauteuil en attendant le retour de Jonathan.

— Salut ? a-t-il crié en ouvrant la porte d'entrée.

— Dans la cuisine, a répondu Philippa.

Il s'est dirigé vers la cuisine et je l'ai suivi. Elle s'est levée d'un bond, s'est jetée à son cou et l'a embrassé. On aurait dit qu'elle aspirait toute l'énergie, le moindre souffle de vie qui émanait de lui. Je me suis frotté contre ses jambes pour lui rappeler que cette semaine j'avais été son meilleur ami.

— Les deux êtres que je préfère… Enfin, il y a une personne et un chat, pour être plus précis, a-t-il plaisanté.

Il s'est penché pour me caresser.

— Tu ne peux pas laisser ce chat tranquille et te concentrer sur moi ? En fait, si on allait dans ta chambre ? Il faut qu'on rattrape le temps perdu.

— Attends, je vais d'abord lui donner à manger,

a répondu Jonathan à ma plus grande joie, mais Philippa avait le regard noir.

Il a mis quelques crevettes dans un bol pour moi, puis ils sont montés à l'étage. Je savais que j'étais vaincu, mais au moins je m'en étais tiré avec des crevettes.

Après avoir passé un long moment dans la chambre, ils ont émergé. Elle portait un des tee-shirts de Jonathan, qui pour sa part avait enfilé un peignoir.

— Qu'est-ce que tu veux manger ? a demandé Jonathan.

— À part toi ? a-t-elle répondu en gloussant.

Elle se comportait très bizarrement. Peut-être avait-elle, comme Claire, bu trop de vin, mais je ne l'avais rien vu boire depuis mon arrivée.

— Et si tu commandais un curry. Je sais que c'est l'un de tes plats préférés, et on pourrait ouvrir la bouteille de champagne que j'ai apportée.

— Bonne idée.

Ils ont discuté de ce qu'ils allaient manger, puis Jonathan a passé la commande, a ouvert le champagne qu'il a versé dans des verres très fins et très hauts particulièrement chics.

— Levons notre verre, a dit Philippa.

— À quoi ? a demandé Jonathan.

— À nous et au fait que je pense que nous devrions emménager ensemble.

Heureusement que je n'étais pas en train de boire, pour ma part, car je me serais étranglé, sinon.

— Vraiment ? Emménager ensemble ? a dit Jonathan.

J'ai constaté avec plaisir qu'il avait l'air un peu ébranlé, lui aussi.

— Mais ça ne fait pas très longtemps qu'on se voit !

— Je sais, mais on se connaît depuis des années, et pourquoi pas, après tout ? On s'entend bien, non ? Et, à notre âge, je ne vois pas l'intérêt d'attendre.

— C'est juste un peu soudain et complètement inattendu. Ce n'est pas une décision à prendre à la légère ; il faut au moins qu'on en discute !

Je n'aurais pas su dire si Jonathan était déconcerté ou carrément terrifié. Quant à moi, j'étais incontestablement terrifié. J'avais le sentiment que la chance m'avait quitté et que j'étais sur la mauvaise pente.

— Oh ! ne joue pas au mâle typique ! Écoute, j'étais loin de toi et tu m'as manqué. Depuis qu'on s'est revus, on a passé pratiquement tout notre temps ensemble ! C'est une étape logique.

— Mais…

— Je sais, ça ne fait que deux mois qu'on sort ensemble, mais quand on sait qu'on est avec la bonne personne, on le sait ! Johnny, tu as quarante-trois ans et je vais bientôt en avoir quarante. On a tous les deux une bonne place, on est beaux, intelligents ! À quoi bon attendre ?

Il fallait au moins lui reconnaître une qualité : elle avait une belle assurance. Elle avait le mérite de savoir ce qu'elle voulait.

— Eh bien, je ne suis pas sûr.

J'ai constaté que Jonathan n'avait pas touché à sa

boisson pétillante. J'ai même trouvé qu'il était un peu pâle.

— De moi ? a demandé Philippa d'un ton hargneux.

— Bien sûr que si. Mais je ne suis pas sûr de vouloir emménager aussi vite… Et où vivrions-nous, d'abord ?

Il a paru soulagé d'avoir posé la question.

— Pas ici, en tout cas. La maison est plutôt jolie, mais le code postal, carrément rédhibitoire. Mon appartement à Kensington nous conviendrait parfaitement, à tous les deux.

— Je sais que ton appartement est beau et très bien situé, mais ça me plaît, ici.

Il semblait un peu blessé par ce qu'elle venait de dire à propos de notre maison. Je me demandais comment Jonathan, qui paraissait si arrogant et si sûr de lui quand je l'avais rencontré, pouvait envisager une seconde de vivre avec une telle femme. Je sais qu'elle était plutôt agréable à regarder, mais franchement sa personnalité n'allait pas du tout.

— Je viens juste d'emménager dans cette maison, malgré tout.

— Jonathan, qu'est-ce qui ne va pas ? Je me donne à toi, complètement, je te propose de venir vivre dans mon magnifique appartement à Kensington. Imagine : on pourra organiser des cocktails et de petites réceptions avec beaucoup de style, ce qui sera forcément bénéfique à notre carrière. Franchement, ce n'est pas terrible d'inviter des gens à… Ce n'est pas le plus beau des quartiers, reconnais !

— Très bien, Philippa, a rétorqué Jonathan d'un

ton hargneux. J'ai compris, sauf que je ne suis pas certain de vouloir emménager dans ton appartement.

— Ne sois pas ridicule, bien sûr que si !

J'admirais sa confiance qui n'avait pas cillé.

— Je t'aime beaucoup et nous passons du bon temps ensemble, mais pourquoi ne pas laisser les choses telles qu'elles sont ?

On aurait presque dit qu'il la suppliait. Je commençais à me réjouir intérieurement. Jusqu'alors, Jonathan semblait vraiment apprécier cette femme et, même s'il ne se comportait pas comme Claire avec Joe (soit avec timidité et même un peu de crainte), j'avais malgré tout le sentiment qu'elle exerçait un certain contrôle sur lui.

— Non, Jonathan, c'est impossible. J'ai envie de me fixer. J'ai trente-neuf ans. Je veux devenir associée dans ma société, cette année, et ils favorisent les personnes mariées. Il faut au moins vivre en couple pour avoir une chance ! Je veux me marier. Je veux avoir un enfant avant mes quarante et un ans. Je ne peux plus attendre.

— Waouh ! Phil, doucement ! D'où ça vient, tout ça ?

J'ai reculé un peu, et Jonathan s'est lui aussi éloigné physiquement d'elle.

— Comme tu l'as dit toi-même, nous sortons ensemble depuis deux mois seulement. Avant que tu ne partes en voyage d'affaires, on passait du bon temps ensemble. On allait dîner, on venait un peu ici, tout allait très bien sans que les choses soient trop sérieuses. Tu ne peux pas revenir d'un déplacement à New York et exiger de moi que j'emménage dans ton appartement, que je t'épouse et que je te mette enceinte.

Il a ri, l'air un peu hésitant.

— Mais si, je peux ! Écoute, Jonathan, c'est logique, crois-moi. Regarde-toi. Tu menais une brillante carrière à Singapour et tu as dû te contenter d'un poste beaucoup moins intéressant à ton retour ici.

— Merci de me le rappeler.

Il avait l'air malheureux. Je me suis avancé et je me suis frotté contre ses jambes sous la table.

— Ce que j'essaie de t'expliquer depuis tout à l'heure, c'est que j'ai un très bon travail avec d'excellentes perspectives d'avenir. Tu peux m'aider à avancer tout en gravissant de ton côté les échelons. Nous formerions une super équipe. Je serais un véritable atout pour toi, et toi aussi pour moi.

— On dirait que tu parles d'une relation commerciale, a-t-il dit d'une voix un peu triste.

— Non, bien sûr que non, mais, bon, tu sais bien que je ne suis pas une grande romantique. De toute façon, c'est ce que je veux et j'obtiens toujours ce que je veux.

Son regard d'acier exprimait toute sa détermination.

Ils sont restés assis en silence pendant quelques minutes. Je me suis soudain demandé ce qu'un tel déménagement signifierait pour moi. Je ne savais pas où se trouvait Kensington et j'ignorais si c'était loin d'ici. J'avais comme l'impression que je ne pourrais pas lui rendre visite parce que c'était trop loin. J'aimais Jonathan, mais j'aimais aussi Claire, la famille de Franceska, et j'avais de plus en plus d'affection pour Polly et Matt. La peur m'a soudain étreint le cœur, mes poils se sont hérissés. Je ne voulais pas qu'il parte. Et si je ne le revoyais plus jamais ? J'ai réalisé que je l'aimais vraiment.

— Et qu'est-ce que tu fais d'Alfie ? a soudain demandé Jonathan.

J'aurais bien sauté de joie. Philippa l'a regardé en plissant les yeux.

— Les chats ne sont pas autorisés dans mon bâtiment, a-t-elle dit d'une voix dépourvue de toute pitié.

— Je ne peux pas le laisser, a répondu calmement Jonathan.

— Oh ! dites-moi que je rêve ! Les chats, ça change de maisons plusieurs fois dans une vie. Tu peux très bien lui trouver une nouvelle famille ; on passera une annonce. Ce n'est même pas ton chat, d'ailleurs.

— Philippa, tu n'as donc pas de cœur ? Alfie est *mon* chat. Je l'aime.

Ça m'a fait chaud au cœur. Il m'aimait, lui aussi. J'ai regardé Philippa en feulant bruyamment.

— Sale chat ! a-t-elle crié. Tu as entendu comme il a feulé ?

Elle était blême de rage.

— Il ne faut pas t'étonner. Tu l'as traité de tous les noms, a répondu Jonathan avec le plus grand sérieux.

— Oh ! bon sang, Jonathan ! Tu as dit toi-même qu'il était déjà là quand tu es arrivé ! Tu le connais depuis même pas cinq minutes et déjà tu t'emballes ? Franchement, ce n'est pas bon pour ton image et regardons les choses en face : ce n'est qu'un stupide chat.

— J'ai passé plus de temps avec lui qu'avec toi, a répondu calmement Jonathan. Quand je suis arrivé ici, j'étais vraiment dans un sale état. Il m'a sauvé, en quelque sorte.

J'ai senti mon cœur se gonfler d'orgueil. Je l'avais sauvé ! Il avait remarqué, finalement.

— Il t'a sauvé ?

— Il était là pour moi quand je me sentais seul.

Jonathan semblait un peu surpris par cette révélation. Je savourais la joie de cette reconnaissance.

— Bon, si tu t'obstines bêtement pour un animal stupide, tu n'es pas l'homme que je croyais. Je vais rentrer chez moi pour te laisser le temps de revenir à la raison.

Elle s'est levée en fusillant Jonathan du regard, puis est montée à l'étage pour récupérer ses affaires. On l'a entendue avancer d'un pas lourd dans la chambre, claquer les portes avec colère, mais Jonathan n'a pas bougé. Moi non plus, d'ailleurs. Je suis resté blotti contre ses jambes.

Elle a réapparu quelques instants plus tard et s'est dirigée vers la porte d'entrée.

— Tu le regretteras ! Quel genre d'idiot peut préférer un chat à moi ? Pas étonnant que tu sois un gros raté, a-t-elle craché plus méchamment que n'importe quel chat de ma connaissance.

— Au revoir, Philippa, a dit Jonathan, un peu durement.

La porte a tremblé sur ses gonds quand elle l'a claquée violemment derrière elle.

— Je ne m'attendais pas du tout à ça, a dit

Jonathan quelques instants plus tard. Mon Dieu, quelle femme ! Je me demande comment elle a pu se transformer ainsi. J'ai laissé une petite amie sympa, amusante, pour retrouver une véritable psychopathe quelques jours plus tard.

J'avais bien envie de lui dire qu'elle ne m'avait jamais amusé, mais je ne pouvais pas.

— En tout cas, on dirait que je l'ai échappé belle, et, Alfie, c'est encore toi qui m'as sauvé sur ce coup-là.

J'ai ronronné fièrement. J'étais si heureux. Si j'avais pu, j'aurais répondu à Jonathan : « Tout le plaisir a été pour moi. » Je nous avais sauvés tous les deux de cette méchante sorcière. Le mieux, c'était que Jonathan, bien qu'encore un peu sous le choc, ne semblait pas triste. Il ne me restait plus qu'à espérer qu'il ne regretterait pas et ne changerait pas d'avis. Mais, pour l'heure, il fallait que je lui fasse confiance. Il l'avait mérité, après tout.

— Et dire que la femme de ma vie est peut-être juste au coin de la rue.

Ça m'a rappelé mon plan ! « Elle n'est pas au coin, mais en bas de la rue ! » aurais-je voulu crier. Nous nous étions débarrassés de Philippa ; il ne nous restait plus qu'à nous débarrasser de Joe et à tout faire pour que Claire et Jonathan finissent ensemble. Comment ? Je n'en avais pas la moindre idée. Mais je serais le plus heureux des chats, si j'arrivais à accomplir un tel exploit. Mon cœur battait à tout rompre. Je m'étais un peu rapproché de mon objectif final !

28

Je ne suis pas retourné dans la maison de Claire cette nuit-là. Je ne voulais pas laisser Jonathan. Il s'était montré loyal envers moi et je voulais lui rendre la pareille. Après le départ de Philippa, nous avons regardé la télé ensemble, puis il m'a emmené dans sa chambre, où j'ai retrouvé ma couverture adorée en cachemire. J'ai fait des rêves merveilleux, dans lesquels je me sentais aimé, désiré et entouré de chaleur. Après ces dernières semaines agitées et pleines d'incertitude, j'en avais besoin. Il y avait longtemps que je n'avais pas aussi bien dormi.

Le lendemain matin, je me suis réveillé tôt. Jonathan ne devait pas se lever pour aller au travail, mais je l'ai tiré de son sommeil en m'asseyant sur son torse. Il a grogné, a ouvert les yeux et, surpris, m'a donné une tape pour me chasser. Je me suis vengé en lui donnant un petit coup de patte sur le nez.

— Aïe ! Alfie, tu m'as fait peur, a-t-il grogné.

J'ai souri. J'étais trop heureux pour craindre de me faire gronder.

— Oh ! je suppose que tu as faim. Bon, viens ! Laisse-moi au moins le temps d'aller pisser. Ensuite, je te donnerai ton petit-déjeuner.

J'ai miaulé joyeusement.

— Mince, j'aurais peut-être dû garder Philippa, finalement : elle est moins pénible que toi.

Je l'ai regardé, un peu choqué, mais il a ri.

— Je plaisante. Bon, je te retrouve en bas dans une minute.

Il s'est précipité dans la salle d'eau attenante à sa chambre et j'ai descendu l'escalier à pas feutrés pour aller attendre mon petit-déjeuner.

Nous ne nous sommes pas pressés, mais, quand nous avons fini de manger, tous les deux, Jonathan a annoncé qu'il allait à la salle de sport. J'ai pensé qu'il était temps pour moi de retourner chez Claire. Je me suis demandé ce que j'allais trouver là-bas. Qui sait ce que Joe avait encore inventé depuis la dernière fois que je les avais vus ?

Je suis passé par la chatière et j'ai trouvé Claire en train de préparer un gros petit-déjeuner.

— Je me demandais où tu étais passé, a-t-elle dit. Je commençais à m'inquiéter, Alfie.

Elle avait l'air si triste. Je me suis frotté contre ses jambes nues. Je me suis demandé pourquoi les humains ne comprenaient pas qu'ils devaient changer les choses s'ils étaient malheureux. Elle aurait dû jeter Joe dehors puisqu'à l'évidence il ne la rendait pas heureuse. Quand elle s'est penchée pour me caresser, je lui ai léché le nez affectueusement. Elle a gloussé, un son bienvenu dans cette maison où on ne riait plus, ces derniers temps.

Claire était mal en point. Elle ressemblait à la Claire qui avait emménagé ici quelques mois plus tôt. Elle était maigre, pâle, avec des cernes noirs sous les yeux et la bouche crispée.

— Le petit-déjeuner est prêt ? a demandé Joe.

Vêtu d'un pantalon de survêtement et d'un tee-shirt dépenaillé, il se tenait dans l'encadrement de la porte de la cuisine.

— Presque. Assieds-toi et je te l'apporterai.

Elle a rempli une assiette de nourriture et l'a apportée dans la salle de séjour, où elle l'a posée sur la petite table. Il s'est assis et a commencé à manger sans un mot de remerciement.

— T'en veux pas ? a-t-il demandé, s'apercevant enfin qu'elle se tenait toujours devant lui.

Elle s'est assise avec sa tasse.

— Non, je prends juste mon café ; je n'ai pas faim.

— Ah ! je vois : on ne veut pas grossir ? a-t-il dit d'un air méprisant avant de se concentrer à nouveau sur la nourriture.

La façon dont cet homme horrible devenait de plus en plus odieux ne cessait de me surprendre, d'autant plus que ma Claire était si adorable. Il avait une assiette pleine et n'avait pas de manières. Quand un peu de jaune d'œuf a dégouliné sur son menton, il l'a essuyé avec la main. J'ai regardé Claire et j'ai compris qu'elle ne pouvait pas supporter son comportement. Ça m'a une fois de plus brisé le cœur, mais je ne savais toujours pas quoi faire.

Quelques heures plus tard, Claire avait fait la vaisselle, m'avait donné des œufs au plat (que j'ai adorés) et avait rangé la maison. Joe, vêtu d'un jean et d'une chemise, a descendu l'escalier.

Il était plus élégant, normal, presque. Mais, bien sûr, j'avais vu son vrai visage.

— Tu sors ? a murmuré Claire.

— Je te l'ai dit : c'est l'anniversaire de Garry. On va au bowling et boire quelques verres ensuite.

— Oh ! désolée, j'avais oublié.

— Ce n'est pas la peine de m'attendre ce soir.

— Amuse-toi bien, a dit Claire en souriant, mais il n'a pas répondu à son sourire.

— Bien sûr. Au fait, tu pourrais me prêter trente livres ? Juste pour quelques jours ? La société ne m'a pas encore payé ce qu'elle me devait, mais a promis de le faire cette semaine.

Je savais que c'était un mensonge. Joe prenait de l'argent à Claire depuis des semaines et ne le lui rendait jamais. J'avais envie de le griffer et de le mordre, mais je savais que ça ne ferait qu'empirer les choses.

Claire est allée chercher son porte-monnaie et est revenue avec trois billets. Elle les a tendus à Joe, qui les a pris sans même la gratifier d'un regard. Il les a mis dans sa poche sans prendre la peine de la remercier. Il ne l'a même pas embrassée pour lui dire au revoir quand il est parti. Claire l'a regardé s'éloigner comme si elle ne comprenait pas ce qui lui arrivait, et je pense qu'en effet elle ne saisissait pas. J'étais pratiquement sûr qu'elle ne savait pas comment cet homme, qui était au départ si charmant avec elle, avait pu ensuite emménager chez elle, manger ses provisions, prendre son argent et devenir de plus en plus odieux avec elle. Ses yeux semblaient se demander comment elle avait pu se mettre dans une situation pareille. Mais il était évident aussi qu'elle ne savait pas quoi faire.

J'étais désespéré. Claire est montée à l'étage, a pris une douche et s'est habillée. Je l'ai suivie pour lui apporter mon soutien. Ce n'était pas grand-chose, mais c'était tout ce que j'avais. Elle avait un peu meilleure mine maintenant qu'elle était propre et habillée. Mais, ensuite, elle s'est mise à nettoyer rigoureusement et j'ai vu qu'elle était triste.

La sonnette a retenti, et Claire est allée ouvrir. Quel soulagement quand j'ai vu Tasha sur le seuil ! Je me suis précipité vers elle et, pour un peu, j'aurais sauté dans ses bras. J'étais si content de la voir ! Elle ne passait pratiquement plus depuis que Joe avait emménagé, et ça me rendait très triste. Elle me manquait terriblement, et j'espérais qu'elle trouverait une solution pour aider Claire.

— Je ne savais pas que tu venais, a dit Claire en la regardant avec suspicion.

— Désolée, je ne fais que passer. Je peux entrer ? a-t-elle demandé.

Claire a hoché la tête et s'est effacée pour la laisser passer. Elles ne se sont pas saluées chaleureusement comme elles le faisaient auparavant.

— Joe est là ?

— Non, il est sorti. Tu veux un café ? a demandé Claire.

— Oui, s'il te plaît.

Elles sont allées jusqu'à la cuisine, où Claire s'est affairée avec la bouilloire et les tasses.

— Claire, ça va ? a demandé Tasha.

— Je vais bien, je vais très bien, a-t-elle répondu, sur la défensive.

— Ça fait plus d'un mois que je ne te vois plus en dehors du travail, Claire. Je pensais que nous étions amies.

J'ai vu les épaules de Claire se voûter.

— Nous sommes amies, Tasha, mais ces dernières semaines ont été un peu mouvementées avec Joe. Mais, comme je l'ai dit, je vais bien.

— On dirait vraiment que tu ne manges pas assez, a dit Tasha.

— Je fais attention à ma ligne, c'est tout.

— Tu as la peau sur les os.

— J'aime être mince, a répondu Claire d'un ton cassant.

— Claire, tu étais comme ça quand j'ai fait ta connaissance. C'était à cause de ton ex-mari et, petit à petit, tu t'es remise de cette déception. Tu te souviens comme on riait ? Et tu aimais le travail, le club de lecture et tout le reste.

— Écoute, Tasha, je te l'ai déjà dit l'autre jour : je vais bien. J'essaie d'être heureuse. Le seul problème en ce moment, c'est que Joe traverse une mauvaise passe avec son travail et je dois le soutenir. Il a besoin de moi.

Elle semblait déterminée quand elle parlait de Joe.

— Mais tu ne me parles plus. Tu ne viens plus au club de lecture et tu refuses toutes les invitations à sortir avec nous. Quand tu arrives au travail, tu baisses la tête, tu te plonges dans tes dossiers et tu m'évites. Je ne comprends pas pourquoi tu me repousses.

Tasha semblait vraiment contrariée et inquiète. J'ai décidé de faire un geste ! Je me suis approché d'elle et j'ai sauté dans ses bras. Je voulais lui montrer qu'elle avait raison et qu'il fallait qu'elle fasse quelque chose. Je ne savais pas si elle comprenait ; pourtant, à la façon dont elle m'a serré contre elle, j'avais bien l'impression que oui.

— Je ne t'évite pas, Tasha. Tu es un peu paranoïaque. Combien de fois devrai-je te dire que tout va bien ?

J'ai regardé les deux femmes. Chacune semblait camper sur ses positions. Quand elle m'a reposé doucement par terre, j'ai croisé les pattes pour que Tasha parvienne à faire entendre raison à Claire.

— Nous n'avons même pas eu l'occasion d'apprendre à mieux connaître Joe. Chaque fois que je vous invite tous les deux à sortir avec nous, tu trouves des excuses. C'est toi ou lui ?

— C'est nous deux. Joe ne se sent pas très bien à cause du travail. Je pensais que tu comprendrais. Il faut que je sois là pour le soutenir.

— D'accord ! Je vais courir le risque de me brouiller avec toi, mais je vais te dire ce que je pense. Tu connaissais à peine Joe quand il s'est carrément incrusté chez toi, il y a un mois, c'est ça ? Il te traite comme un paillasson. Nous l'avons tous vu. Il te dit peut-être que ce qui s'est passé à son travail n'est pas sa faute, mais tu le crois vraiment ? De nos jours, on ne licencie pas les gens sans raison valable. S'il est innocent, comme il le dit, pourquoi ne poursuit-il pas sa société en justice ?

— Il est en pourparlers avec les RH et les avocats, en ce moment. Tu sais bien que ça prend beaucoup de temps, a répondu Claire, même si elle ne semblait pas franchement convaincue. Et il ne s'est pas incrusté. Il reste juste ici parce qu'il a besoin de mon soutien.

— Tu en es sûre ? J'ai plutôt l'impression que,

dès que tu sors du travail, tu te précipites à la maison pour le voir.

— Oui, j'en suis sûre, Tasha. Il a toujours son appartement. De toute façon, je suis heureuse qu'il soit ici avec moi.

Elle n'était pas très convaincante. Ni moi ni Tasha n'étions dupes.

— Vraiment ? Je trouve plutôt que tu as l'air malheureuse. Et tout le monde au travail est de cet avis. Nous nous inquiétons pour toi. Tu ne viens jamais boire un verre avec nous. Tu ne réponds pas à mes textos. Tu as une mine épouvantable, pour être honnête. Alors, si c'est ça, l'idée que tu te fais du bonheur, que Dieu te vienne en aide.

Tasha avait élevé la voix et elle avait les joues rouges. Je voulais crier que j'étais d'accord avec elle, mais j'ai dû me contenter de les observer. Claire mentait à Tasha et peut-être se mentait-elle à elle-même. À ma connaissance, ils n'en avaient pas parlé ouvertement, mais il était évident que Joe avait bel et bien emménagé chez Claire.

— Tasha, c'est gentil à toi de t'inquiéter pour moi, mais c'est ma vie. Après mon horrible mariage, j'ai cru que plus personne ne voudrait de moi. Mais si, Joe veut bien de moi. En plus, il a besoin de moi. C'est une période difficile pour lui et il a besoin de mon aide. J'aime Joe et nous sommes heureux. Je n'ai pas envie que tu viennes t'immiscer dans notre relation, ni toi ni personne d'autre, d'ailleurs.

— Si je me permets de te dire tout ça, c'est parce que tu comptes beaucoup pour moi. Tu le sais, n'est-ce pas ? Je suis inquiète.

Tasha semblait très triste, tout à coup, et complètement abattue.

— S'il te plaît, ne t'inquiète pas.

Je n'avais jamais entendu Claire parler avec autant de froideur.

— J'ai beaucoup de choses à faire, aujourd'hui. Alors, si tu pouvais partir…

Claire a tourné le dos à Tasha, qui est sortie de la cuisine à reculons. J'ai vu Claire verser le café que Tasha n'avait pas bu dans l'évier, puis j'ai suivi Tasha dehors. Elle s'est adossée au portail et je suis resté à côté d'elle.

— Oh ! Alfie, pourquoi ne voit-elle pas que c'est un profiteur ?

J'ai incliné la tête. Elle s'est accroupie comme si elle voulait avoir une conversation tête à tête avec moi.

— Il est mauvais pour elle, tu le sais, je le vois, mais que pouvons-nous faire ? Elle ne veut rien entendre. Si seulement tu pouvais le pousser à montrer sa vraie nature.

J'ai incliné la tête de l'autre côté, la regardant d'un air interrogateur.

— J'ai déjà vu ça chez d'autres personnes avant. Des femmes qui changent à ce point au contact d'un homme sont en quelque sorte sous leur emprise ; elles sont manipulées, maltraitées, d'une certaine façon. Tu dois en avoir vu plus que moi, Alfie, puisque tu vis avec eux. Si seulement tu pouvais me le dire. Oh mon Dieu, je suis en train de parler à un chat !

Elle a laissé échapper un rire amer.

— Ne m'en veux pas, Alfie, mais je crois que ni

toi ni moi ne pouvons changer quoi que ce soit à la situation.

Je n'aimais pas du tout quand les humains me sous-estimaient, mais, en cet instant, elle avait raison. Je ne voyais aucun moyen d'agir. Toutefois, comme j'avais réussi à résoudre le problème « Philippa » (car je pensais pouvoir m'attribuer une partie du mérite), peut-être finirais-je par avoir une idée. Je n'arrêtais pas de repenser aux paroles de Tasha, « le pousser à montrer sa vraie nature », et j'ai prié pour avoir un peu plus d'inspiration.

Je suis passé par la chatière pour retrouver Claire. Elle était assise devant la table de la salle de séjour et semblait particulièrement triste. J'ai sauté sur la table et je lui ai donné un rapide bisou de chat en léchant doucement son nez. Elle a souri tristement et n'a même pas essayé de me faire descendre. C'est dire combien elle allait mal.

— Parfois, j'ai l'impression que tu es le seul à ne pas me juger, a-t-elle dit.

J'ai ronronné. Je la jugeais, en réalité, mais elle avait besoin de mon soutien.

— Alfie, je t'aime, mais il faut que j'aille au supermarché. Ne t'inquiète pas. Je te ramènerai quelque chose de bon pour ton dîner.

Elle s'est levée et m'a laissé tout seul sur la table pour aller se préparer.

J'ai vu Jonathan revenir de sa salle de sport et décidé de le rejoindre chez lui. J'aurais aimé faire un tour aux appartements du numéro 22, mais je ne voulais pas être trop loin de Claire. Je me faisais tellement de souci pour elle. Jonathan était au téléphone et, quand il a raccroché, il m'a souri.

— Je vais sortir avec des amis du travail pour fêter ma liberté retrouvée, a-t-il dit en plaisantant. Je vais te donner du saumon avant de partir, mais ce n'est pas la peine que tu m'attendes.

Il a ri et j'ai miaulé en même temps. Il m'a ensuite pris dans ses bras et s'est mis à tourner sur lui-même.

— Tu sais, Alfie, nous les humains, on est un peu bizarres. Je pensais que je voulais de cette relation avec Philippa, j'ai même accepté qu'elle me mène à la baguette. Mais, en fait, je m'aperçois que je suis plus heureux sans elle. Je le vois maintenant.

Il a ri de nouveau. Si seulement Claire pouvait le voir aussi. Il avait raison : il était plus gentil maintenant, plus gentil que jamais, et peut-être avait-il fallu cette relation avec une garce comme Philippa pour qu'il prenne conscience du lien spécial qui nous unissait, tous les deux.

Je me souviens d'avoir entendu Margaret parler de la façon dont les gens grandissaient. Certains suivent dès le départ le bon chemin, d'autres s'égarent, prennent la mauvaise route, mais les humains évoluent et changent souvent. Elle disait aussi que les gens ont parfois besoin de vivre des expériences très négatives pour s'épanouir pleinement plus tard, et je ne comprenais pas jusqu'à ce que je fasse moi-même ces mauvaises expériences.

J'étais un chat très jeune, alors, mais j'avais dû grandir très vite, tirer les leçons de cette période difficile, des leçons que je n'avais pas toujours bien accueillies, mais qui m'avaient rendu grand service par la suite. Jonathan avait grandi, lui aussi, mais ma pauvre Claire…, elle était en train de faner. J'espérais qu'il s'agissait d'un de ces mauvais caps dont Margaret avait parlé et qu'elle retrouverait vite le bon chemin pour poursuivre sa route.

Je devais veiller à ce que mes familles se portent bien. Mais c'était une grosse responsabilité pour un petit chat.

29

Joe est rentré très tard cette nuit-là et nous a réveillés, Claire et moi. Il s'est montré gentil avec Claire, mais d'une façon horrible : il ne cessait de la tripoter et de l'embrasser. J'ai quitté la chambre avant qu'ils ne me jettent dehors.

Je suis retourné chez Jonathan pour y passer la nuit. J'ai été accueilli par une maison vide et, une fois de plus, Jonathan n'est pas rentré. Quelle drôle de clique j'avais choisie !

J'avais l'impression d'être une balle de ping-pong avec toutes ces allées et venues entre la maison de Jonathan et celle de Claire, où je suis allé prendre mon petit-déjeuner. À ma grande surprise, je les ai trouvés en train de déjeuner ensemble, et ils étaient tout sourire. Claire a même mangé un peu, mais vraiment un tout petit peu. J'ai vu qu'elle se mordait nerveusement la lèvre.

— Joe, je peux te demander quelque chose ? a-t-elle dit d'une voix timide.

Joe a hoché la tête.

— C'est juste que tu es là depuis plus d'un mois maintenant et… on dirait que tu as emménagé, sauf que nous n'en avons même pas vraiment parlé.

J'ai vu les yeux de Joe s'assombrir.

— Tu es en train de me dire que tu ne veux pas de moi chez toi ? a-t-il demandé.

— Non, pas du tout. Mais on ne parle jamais de ton travail, de ton appartement ou de ce qui s'est passé. Tu vis avec moi pour de bon ?

Elle semblait anxieuse, effrayée même.

— Claire, je voulais te le demander, mais j'avais trop peur que tu me dises non. J'avais tellement honte, parce qu'en fait j'ai perdu mon appartement. À cause des problèmes au travail, ma situation financière s'est dégradée, et l'avocat m'a demandé de régler immédiatement ses honoraires. Je ne pouvais plus payer le loyer de mon appartement.

Il a pris sa tête dans ses mains.

— J'avais trop peur de t'en parler.

Claire semblait ne pas comprendre et j'ai réalisé qu'elle n'avait aucune prise sur la situation.

— Si tu as besoin d'un toit, tu peux emménager ici. Il te suffisait de le dire. Joe, jamais je ne te jugerai. Je t'aime.

— Oh ! Claire, j'aimerais emménager pour de bon. J'irai chercher le reste de mes affaires cette semaine.

Il semblait particulièrement content de lui.

— Ça va être génial. Et, dès que j'aurai réglé mes problèmes au travail et tout le reste, on pourra officialiser un peu les choses. Tu sais, avec les factures et tout ce qui s'ensuit.

J'ai plissé les yeux, complètement déconcerté. Comment avait-il pu parvenir aussi facilement à ses fins ? Je savais qu'il mentait. Il avait laissé son appartement deux semaines auparavant et avait demandé à un ami de garder ses affaires chez lui.

J'avais entendu les conversations téléphoniques. J'aurais aimé que Claire lui dise de foutre le camp comme l'avait fait Jonathan avec Philippa. Mais, quoiqu'un peu hésitante, elle a souri.

— Bien sûr que je suis d'accord pour que tu emménages ici. Je me demandais juste si c'était déjà le cas.

— Oh non, je ne l'aurais jamais fait sans te le demander au préalable. Bon, et si on fêtait ça aujourd'hui en faisant quelque chose de vraiment extraordinaire ?

— Il y a une exposition à la National Gallery que j'ai très envie de voir, a dit Claire d'une voix mal assurée.

— Alors, allons-y ! Aujourd'hui, c'est ta journée, ma chérie. Je ferai tout ce que tu voudras.

Joe s'est penché et l'a embrassée. Je ne l'avais pas vu se comporter aussi gentiment depuis une éternité et je me suis demandé ce qui avait motivé ce changement d'attitude. Peut-être avait-il remarqué qu'elle avait mauvaise mine, qu'elle ne se sentait pas bien... Peut-être tenait-il tout simplement à elle, après tout... J'avais néanmoins de gros doutes.

— Tu ne peux pas savoir comme ça me fait plaisir, a-t-elle dit en riant.

Elle avait l'air ravie.

— C'est tout ce qui m'importe, a-t-il répondu avec raideur, et j'ai su, au fond de moi, qu'il n'était pas sincère.

J'ai marché tranquillement jusqu'aux appartements du numéro 22. Le soleil était de retour et la journée s'annonçait magnifique. Malgré mes soucis, j'avais le cœur plus léger. Quand je suis arrivé devant les appartements, les deux familles étaient réunies dans le jardin à l'avant, entourées de nombreux sacs. Franceska et Polly portaient des robes d'été. Thomasz, Matt et les garçons étaient en shorts et en tee-shirts. Ils semblaient tous enthousiastes et heureux.

— Alfie, a dit Aleksy en s'avançant vers moi. On va pique-niquer.

— Salut, Alfie, a dit Thomasz, son père, qui s'est approché lui aussi pour me caresser.

— Il peut venir avec nous ? a demandé Aleksy.

— Non, on y va en train. Les chats ne prennent pas le train.

— On va à la mer, a expliqué Aleksy, qui avait l'air triste parce que je ne pouvais pas venir.

J'étais déçu, moi aussi. Ça ne m'aurait pas fait de mal de changer un peu d'air. Tandis qu'ils parlaient avec animation et s'affairaient autour de leurs nombreux sacs, j'ai senti quelque chose de très alléchant : une bonne odeur de thon. J'adorais le thon. J'ai suivi l'odeur, qui m'a mené jusqu'au plus gros sac. Il contenait une couverture. Il y avait aussi des paquets, et c'est de là que venait le délicieux fumet. J'ai mis la tête dans le sac pour en avoir le cœur net et, tout à coup, je me suis retrouvé complètement dedans.

L'intérieur était confortable, doux et sentait si bon. J'ai humé le parfum enivrant de poisson, mais je n'ai pas eu le temps de sortir que, déjà, une main, celle de Thomasz, s'emparait du sac et le mettait dans le coffre de la voiture. Quand le véhicule a démarré, je n'ai pas su quoi faire ; alors, je n'ai rien fait. Mon premier réflexe a été de paniquer. Puis, je me suis souvenu que j'étais avec mes familles. Finalement, j'allais voir la mer, moi aussi.

Je savais qu'il fallait que je reste calme et silencieux, mais j'ai carrément fini par m'endormir dans le train. Quand ils ont posé le sac par terre, je me suis mis en boule, et le balancement du train m'a bercé.

Je me suis vaguement rendu compte que le train s'arrêtait, que quelqu'un soulevait le sac, puis j'ai entendu beaucoup de bruit quand on m'a de nouveau posé par terre. J'ai sorti prudemment la tête, mais je n'ai vu que des jambes autour de moi. J'ai ensuite aperçu un chien qui reniflait l'air et je me suis vite caché.

Après avoir été transporté à pied, puis dans un véhicule et de nouveau à pied, j'ai enfin été déposé par terre. J'ai senti la chaleur au-dessus de moi et j'ai entendu des mouettes affamées crier. Il y avait aussi beaucoup de voix humaines qui discutaient. Les hommes ont décidé de disposer des chaises longues, et Franceska a dit qu'elle allait sortir le pique-nique. Elle a ouvert le sac et j'ai bondi sur la plage. Si j'avais pu, j'aurais crié « Surprise ! » Tout le monde est resté d'abord sans voix, puis Aleksy a éclaté de rire, le petit Thomasz l'a imité et même Henry s'est mis à glousser quand je suis allé le saluer dans sa poussette. Franceska m'a pris dans ses bras.

— Notre petit passager clandestin, a-t-elle dit.

Tout le monde a ri et j'ai soudain senti une joie qui était absente de nos vies, ces derniers temps.

Une fois de plus, j'avais le sentiment d'avoir fait ce qu'il fallait pour mes familles.

— Ne t'éloigne surtout pas de nous, Alfie, a dit Matt d'une voix sévère quand les rires se sont tus. Nous sommes loin de la maison ; alors, reste avec nous.

Je l'ai regardé avec indignation. Pour quel genre de chat me prenait-il ?

Le pique-nique m'a beaucoup plu. J'étais assis au bord de la couverture, plissant les yeux à cause de la lumière vive du soleil, et je regardais autour de moi tout en mangeant de temps à autre la nourriture qu'on me tendait. Beaucoup de gens me montraient du doigt. Apparemment, il était très rare de voir un chat au bord de la mer. Pour ma part, je n'avais aucune envie de m'approcher de l'eau et d'accompagner ceux qui allaient barboter et jouer dans les vagues. Mes mésaventures dans la mare étaient encore bien présentes dans mon esprit, et j'ai décidé de me tenir à bonne distance de l'eau et de rester avec Polly, tandis que les autres allaient se baigner, même le petit Henry.

Bien qu'elle ait paru tout aussi heureuse que les autres en arrivant, Polly a repris son air triste dès qu'elle s'est retrouvée seule avec moi. Elle m'a laissé m'asseoir à côté d'elle et m'a caressé distraitement, mais je me suis demandé où elle était. Elle n'était pas assise sur la plage avec moi. Je ne savais pas quoi faire pour l'aider. Faute de mieux, je me suis blotti contre elle et j'ai essayé de lui transmettre tout mon amour.

Nous sommes restés ainsi jusqu'à ce que les autres reviennent, tout dégoulinants.

— Alfie !

Aleksy s'est secoué à côté de moi. J'ai crié et j'ai bondi de côté pour échapper aux gouttes.

— Les chats n'aiment pas l'eau, a expliqué Matt en me faisant un clin d'œil.

— Désolé, a dit Aleksy.

J'ai miaulé pour lui faire comprendre qu'il était déjà pardonné.

Nous avons passé un merveilleux après-midi. Je n'avais jamais vu les deux familles aussi heureuses. Il y avait tant de rires et de joie que ça m'a fait chaud au cœur. J'entendais les oiseaux crier au-dessus de moi. Le soleil était brûlant, mais j'ai pu trouver un peu d'ombre près de la poussette de Henry quand la chaleur est devenue insupportable pour moi. Aleksy et Thomasz ramassaient des cailloux. Ils avaient de quoi faire : la plage était pleine de galets. Ensuite, les hommes sont allés acheter des glaces et ils m'en ont même rapporté une.

C'était divin ! J'ai goûté à ma première crème glacée. Au départ, j'ai eu un mouvement de recul quand j'ai constaté que c'était très froid. J'ai froncé le museau et j'ai frissonné, ce qui a fait rire tout le monde, puis j'ai refait une tentative et je me suis régalé. Vraiment crémeux ! Soudain, un gros goéland a fondu sur nous et m'a regardé d'un air menaçant. Thomasz, le petit, a poussé un cri, mais je me suis dressé sur mes quatre pattes en essayant d'être le plus imposant possible (il était néanmoins plus gros que moi) et j'ai feulé. Il m'a jaugé, pesant sans doute le pour et le contre d'une attaque, mais j'ai feulé et craché, et il est reparti.

— Alfie, toi très courageux, a dit Aleksy tout en me caressant, tandis que je dégustais ma glace.

Il m'avait peut-être trouvé courageux, mais j'en tremblais encore. Je me demandais si j'aurais eu une chance de m'en tirer si le goéland avait décidé de m'attaquer.

— Ça va, Alfie, on t'aurait sauvé, a dit Thomasz, le grand.

Mais aurait-il été de taille à affronter un goéland affamé et furieux ? Dans notre communauté de chats, ils ont la réputation d'être impitoyables.

Quand le soleil a commencé à décliner dans le ciel, Franceska a dit qu'il était temps de rentrer à la maison. Les enfants ont mis des vêtements propres, les poubelles ont été ramassées et jetées, et les sacs, rangés. On m'a dit cette fois de voyager dans un sac sous la poussette de Henry. Comme c'était une façon très confortable de se déplacer, ça ne m'a pas du tout dérangé. J'ai dormi pendant la majeure partie du trajet, rêvant de crèmes glacées.

Les sacs ont été déchargés devant les appartements du numéro 22. J'ai dit au revoir à tout le monde et, un peu las, j'ai descendu la rue pour retourner chez Claire.

— Je me demande où il va quand il nous quitte. Où est-ce qu'il vit, en fait ? a demandé Matt, tandis qu'ils me regardaient tous comme si j'allais leur donner la réponse.

30

Le lendemain matin, après ma routine, je suis retourné au numéro 22 pour jouer avec les enfants. Je voulais vraiment revivre le plaisir que j'avais eu lors de cette journée en bord de mer avec eux ; faire rire les enfants comme je l'avais fait la veille. Ça me faisait chaud au cœur d'apporter un peu de bonheur dans leur vie.

Je m'apprêtais à gratter à la porte de Franceska pour attirer son attention ou celle d'Aleksy, quand un bruit m'a arrêté dans mon élan. C'était un bruit étrange que je n'avais jamais entendu auparavant. Ça ressemblait un peu au son d'un chat qui se fait étrangler sauf que ça venait de l'appartement de Polly. Puis, j'ai entendu Henry hurler et de nouveau l'autre bruit. J'étais pratiquement certain que c'était Polly qui émettait ce son.

J'ai su instinctivement ce qu'il fallait faire. J'ai gratté de toutes mes forces la porte de Franceska et j'ai miaulé le plus fort possible. Franceska m'a ouvert.

— Oh ! entre, Alfie, a-t-elle dit en s'écartant pour me laisser passer, mais je suis resté sur le seuil.

Elle m'a regardé bizarrement.

— Qu'est-ce que tu veux ?

Je suis allé me poster devant la porte d'à côté et

j'ai miaulé. Un peu hésitante, Franceska s'est approchée de moi, quand soudain le drôle de bruit est revenu. Cette fois-ci, elle l'a entendu.

— Qu'est-ce que c'est ? a-t-elle demandé d'une voix horrifiée en écarquillant les yeux. Mon Dieu, on dirait que quelqu'un est blessé.

Elle a laissé la porte entrouverte et a crié à Aleksy qu'elle en avait pour une minute. Puis nous nous sommes postés tous les deux devant la porte de Polly.

Elle a appuyé sur la sonnette et a frappé à la porte. Au bout de quelques minutes qui m'ont semblé une éternité, Polly a ouvert et a tendu Henry à Franceska.

— Prends-le, s'il te plaît, prends-le. Je n'en peux plus.

Sa magnifique peau de porcelaine était striée de larmes, ses cheveux étaient ébouriffés, elle avait une mine épouvantable.

— Polly, a dit doucement Franceska en prenant Henry dans ses bras.

Il s'est immédiatement arrêté de pleurer.

— Non, prends-le. Je n'en peux plus. Je n'en suis pas capable. Je suis une mère atroce et je n'arrive même pas à aimer mon propre enfant.

Elle s'est effondrée par terre, a pris sa tête dans ses mains et s'est mise à sangloter.

— Polly, a dit Franceska d'une voix douce. Il faut que je donne à manger à Henry. Il a faim.

Elle parlait doucement comme les humains parlent aux animaux et aux petits enfants. Polly n'a pas répondu.

— Je vais fermer ta porte et je vais appeler Matt. Tu me donnes son numéro ?

— Non, surtout pas ! Je ne pourrais pas le supporter. Si Matt me voit comme ça, il ne me le pardonnera jamais. Je ne te donnerai pas son numéro.

Elle s'est remise à pleurer. Franceska est entrée dans l'appartement de Polly. Elle est revenue avec le lait de Henry et des biberons. Elle a pris le sac que Polly laissait toujours dans l'entrée et a emmené Henry dans son appartement. Elle semblait terrifiée, comme si elle ne savait pas quoi faire.

Tout en préparant le lait du bébé, elle a téléphoné à Thomasz, mais je n'ai pas compris ce qu'ils disaient parce qu'ils parlaient en polonais. Franceska semblait un peu hystérique et je ne l'avais jamais vue aussi inquiète. Elle a nourri Henry et a essayé de calmer ses enfants, qui ont immédiatement senti que quelque chose ne tournait pas rond. J'ai essayé de jouer avec Aleksy pour le distraire, mais il semblait trop inquiet pour s'amuser.

Quelques instants plus tard, Thomasz est arrivé.

— Il faut que tu l'emmènes chez le docteur, a-t-il dit quand Franceska lui a raconté ce qui s'était passé avec Polly. C'est une urgence. Je peux rester ici avec les garçons. Ça va aller.

Il a passé son bras autour de ses épaules et l'a serrée contre lui pour la rassurer.

— Et ton travail ?

— C'était tranquille aujourd'hui ; alors, ce n'est pas grave.

— Heureusement que ton chef est aussi un ami.

— Il est sympa. Il sait que je travaille dur et que je ne partirais pas si ce n'était pas une urgence.

— J'espère.

Franceska lui a donné quelques instructions, lui indiquant ce qu'il devait faire avec les garçons et Henry qui s'était endormi sur le canapé, entouré de coussins.

— Après le docteur, on appellera Matt.

— Elle m'a suppliée de ne pas le faire.

— Mais elle a besoin de lui. C'est juste qu'elle ne va pas bien dans sa tête. Je pense que, si on l'appelle, elle sera contente finalement.

— Tu as son numéro ?

— Oui. Emmène-la chez le docteur et ensuite, quand tu reviens, on l'appellera.

J'ai suivi Franceska dans l'autre appartement. Polly n'avait pas bougé. Elle était toujours par terre.

— Polly ? a demandé doucement Franceska.

— Comment va Henry ? a-t-elle demandé sans lever les yeux.

— Il va très bien. Il a mangé et maintenant il dort. Et toi, je t'emmène chez le docteur.

— Je ne peux aller nulle part.

— Il le faut. Tu as un bébé qui a besoin de toi, mais tu es malade. Tu ne pourras pas guérir si tu ne vas pas chez le docteur.

Franceska s'est assise par terre à côté de Polly et je me suis assis à côté d'elle.

— Tu penses que je suis malade ? a demandé Polly en regardant Franceska avec ses beaux yeux tristes.

— Je pense que tu as le blues du bébé. C'est très fréquent et je pense que tu as ça.

Polly a levé les yeux vers Franceska.

— Je peux me faire aider ?

— Oui, tu vas voir le docteur. Il t'aide et après tu vas mieux et tu profites de ton bébé.

— Tu as connu ça, toi aussi ?

— Pendant quelque temps, oui, avec Aleksy. Il était plus jeune que Henry et je croyais que je ne l'aimais pas, mais c'était juste à cause de la dépression. J'ai pris les médicaments et je l'ai aimé comme jamais je ne l'aurais cru possible.

— Mais Henry pleure tout le temps. Parfois, j'ai l'impression que le bruit de ses pleurs va provoquer une hémorragie dans mon cerveau. D'autres fois, j'ai l'impression que je vais mourir et je me dis que c'est peut-être une bonne chose.

— D'accord, Henry pleure, mais tous les bébés pleurent. Si tu es plus heureuse, il sera plus heureux.

— Je pense qu'il serait beaucoup mieux loti avec une mère qui le mérite. Les larmes se sont remises à couler sur ses joues.

— Polly, tu es sa mère et tu l'aimes. Tu ne le sens peut-être pas pour le moment, mais c'est vrai, tu l'aimes. Pour moi, c'est la même chose. Ma maman a vu quelque chose en moi et elle m'a fait aller chez le docteur comme je fais avec toi.

— Ma mère a dit quelque chose ce week-end. Elle a dit que je n'étais plus moi-même et qu'elle était inquiète. Elle pensait que c'était le déménagement et le nouveau travail de Matt qui m'avaient ébranlée. Mais je ne pouvais pas le lui avouer, je ne pouvais pas lui expliquer que je suis incapable d'aimer mon bébé. Ça fait de moi un monstre.

— Pas un monstre. Tu es malade, c'est tout. Je sais que tu l'aimes, mais tu ne le sens pas à cause de la dépression. Honnêtement, je te comprends. J'étais comme toi avant que le médecin m'aide. Beaucoup de femmes sont comme toi.

Franceska a passé son bras autour des épaules de Polly, qui s'est laissée aller contre elle.

— Merci beaucoup. Tu ne peux pas savoir à quel point ça me fait du bien de savoir que je ne suis pas toute seule. Mais Matt…

— Il comprendra. C'est un homme bien. Mais, d'abord, on va chez le docteur. Il va t'aider.

J'ai regardé Franceska aider Polly à se mettre debout. Elle l'a ensuite accompagnée dans l'appartement pour récupérer ses chaussures et son sac, puis elles sont sorties. Franceska parlait à Polly comme s'il s'agissait d'une enfant, elle parlait d'une voix apaisante. Je me suis senti mieux quand je les ai suivies dehors. Franceska a fermé la porte de Polly derrière nous, mais la sienne était toujours entrouverte, simplement retenue par le loquet. J'ai donc pu retourner librement dans son appartement.

J'ai joué avec Aleksy, qui semblait un peu plus joyeux quand il a sorti des jouets pour nous.

« Maman », n'arrêtait pas de dire le petit Thomasz, et son père le prenait dans ses bras et lui donnait des biscuits. Tout comme Franceska, il était plutôt calme et détendu. Il gardait un œil sur Henry tout en essayant de lire des histoires à Thomasz, qui semblait plus intéressé par la télévision. Ensuite, il a préparé à manger aux garçons et m'a donné du poisson. Je voulais rester avec eux parce que je brûlais de savoir si Polly allait enfin pouvoir se soigner.

Le temps passait, et elles n'étaient toujours pas revenues. Même Thomasz commençait à s'inquiéter. Henry s'est réveillé, et Thomasz a dû changer sa couche. Puis, le petit Thomasz est allé faire une sieste dans son lit. Aleksy a posé beaucoup de questions à son papa, mais, comme il parlait en polonais, je n'ai pas compris ce qu'il disait.

Les heures passaient. Thomasz semblait inquiet, mais il est allé préparer le lait spécial pour Henry. Il s'occupait des trois garçons comme s'il avait toujours fait ça. Il était vraiment calme, imperturbable et très efficace. Je n'avais pas encore vu de pères s'occuper aussi bien de leurs enfants auparavant. Dans le monde des chats, le mâle ne se mêle pas franchement de l'éducation de ses rejetons.

Mais Thomasz était encore plus calme que Franceska, c'est dire. Pourtant, je sentais qu'au fond de lui il était inquiet. Nous l'étions tous. Je me suis frotté contre ses jambes pour le rassurer, car j'ai senti qu'il en avait besoin.

J'ai réalisé que je les avais tous vus dans des situations difficiles, certaines l'étant plus que d'autres. Le mal du pays de Franceska, la déception amoureuse de Claire, la solitude de Jonathan et les difficultés de Polly avec son bébé et sa nouvelle maison… Le téléphone a sonné, interrompant le fil de mes pensées, et Thomasz a immédiatement décroché. Il a parlé quelques instants en polonais. Quand il a raccroché, il avait l'air grave et il a tout de suite composé un autre numéro.

— Matt, c'est Thomasz, le voisin.

Il a marqué une pause.

— Henry va bien, il est avec moi. Mais Polly ne se sentait pas bien. Franceska l'a emmenée chez le docteur.

Un autre silence de quelques secondes.

— Non, elle va rentrer à la maison, mais elle a besoin de repos et de quelqu'un qui l'aide avec Henry.

Il semblait agité tout en écoutant Matt parler.

— Tu peux venir maintenant. Je vais t'expliquer. C'est dur, mais ça va aller.

Matt n'a pas mis très longtemps pour venir. Il a immédiatement pris Henry dans ses bras. En tout cas, il faisait une drôle de tête. Il était pâle et semblait très inquiet.

— Je ne sais pas comment vous remercier, tous les deux, a-t-il dit, tandis que Thomasz préparait le thé.

— C'est rien. Ça sert à ça, les amis. Mais, Matt, c'est sérieux pour Polly. Ma femme l'a trouvée aujourd'hui… En fait, non, c'est Alfie qui l'a trouvée, et elle a fait une sorte de crise de nerfs, a dit Franceska. Alors, on s'est occupés de Henry et elles sont allées chez le docteur. Elles sont restées longtemps, mais elles reviennent maintenant.

— J'ai honte. C'est à cause de moi, tout ça. Je n'aurais pas dû la pousser à déménager, alors que Henry était encore si petit. Je pensais que c'était mieux pour nous.

Il avait les larmes aux yeux.

— Je sais, parce que nous aussi, on a déménagé. Mes fils sont un peu plus grands, mais c'est un gros changement pour eux aussi. Matt, ce n'est la faute de personne. C'est une maladie et ça arrive. Franceska a eu quelque chose de similaire après la naissance d'Aleksy et c'était très inquiétant. Mais après, elle a eu de l'aide et maintenant elle aime être leur maman et elle est heureuse.

Matt avait pris sa tête dans ses mains.

— J'aurais dû le voir venir. Après avoir passé une semaine chez sa mère, elle semblait aller beaucoup mieux et, depuis qu'elle a rencontré Franceska, elle est plus gaie. Alors, j'ai mis le reste sur le compte du déménagement. Et hier..., on s'est tellement amusés... Comment ai-je pu passer à côté ? Qu'est-ce que je fais ? Mon travail est très prenant, mais nous en avons besoin, nous avons besoin de l'argent. On aurait dit qu'il allait se mettre à pleurer.

— Matt, la maman de Polly est bien, non ?

— Oui, elle est super.

— Elle peut venir quelques jours pour aider Polly.

— C'est une bonne idée. Je vais l'appeler.

Cette perspective semblait lui redonner un peu d'espoir.

— Nous avons un lit de camp, plutôt confortable, que nous pourrons installer dans la chambre de Henry. L'appartement est un peu petit pour accueillir une quatrième personne, cependant.

Il semblait inquiet.

— Ça n'a pas d'importance. Au moins, Polly aura quelqu'un pour s'occuper d'elle.

Matt a regardé Thomasz comme s'il avait résolu le problème.

— Ça peut prendre du temps. Elle a des médicaments, mais ils doivent d'abord agir, a dit Thomasz avec prudence.

— Oui, mais, au moins, ça va l'aider. Merci beaucoup. Et, surtout, merci à toi, Alfie. Je crois que tu nous as sauvés.

Matt m'a caressé, m'a serré contre lui, et je n'étais pas peu fier. J'étais heureux aussi. Je faisais le bien partout où j'allais et je venais peut-être d'accomplir ma mission la plus importante. Je n'ai pas voulu m'attarder sur le facteur chance qui a voulu que je me trouve au bon endroit au bon moment, pas alors qu'on me couvrait de louanges.

Depuis que j'étais arrivé dans Edgar Road, j'avais appris que les choses n'étaient pas aussi simples. D'abord, j'avais eu le sentiment d'aider Jonathan et Claire. Pourtant, Claire n'allait pas bien du tout. Je n'avais pas réussi à la rendre plus heureuse. Il fallait encore que je l'aide.

Elle avait besoin d'aide. Mais, tant que je n'avais pas trouvé de solution, je devais rester près de Polly et de sa famille. Aleksy a été très collant avec moi et je savais que, même s'il ne comprenait pas vraiment ce qui se passait, il sentait que quelque chose ne tournait pas rond. Alors, je l'ai laissé me coller un peu trop.

— Tu es mon meilleur ami, Alfie, m'a-t-il dit.

J'aurais aimé pleurer comme les humains quand ils sont émus. D'après ce qu'avaient dit les hommes, Polly n'était pas encore tirée d'affaire.

Franceska est enfin arrivée à la maison. Elle était seule.

— Polly dort. Elle a des somnifères, et le docteur a dit de les prendre tout de suite. Elle doit beaucoup se reposer après…

— Après quoi ? a demandé Matt, l'air inquiet.

— Aujourd'hui, elle a fait une sorte de crise de nerfs. Elle t'aime et elle aime Henry, mais elle ne se sent pas bien dans sa tête. Le docteur lui a donné des médicaments pour l'aider à court terme, mais, ensuite, elle devra aller voir un psychologue. Elle doit se reposer et il ne faut pas la laisser toute seule avec Henry. C'est trop de pression pour elle.

— J'ai téléphoné à sa mère : elle descend demain, a dit Matt. Et j'ai pris deux jours de congé. Ils savent que Polly est malade et que nous n'avons pas de famille ici.

— Vous nous avez, nous, a dit simplement Franceska.

— Oui et je ne sais pas ce que nous aurions fait sans vous. Merci beaucoup.

— De rien. Maintenant, tu dois t'occuper de ta femme et de ton fils, mais on est là si tu as besoin de quelque chose.

— J'ai laissé Polly porter tellement de choses toute seule ; alors, maintenant, le moins que je puisse faire, c'est m'occuper de mon fils. Suis-je vraiment le pire des pères et le pire des maris ?

— Non, Matt, tu travailles très dur. Ce n'est pas facile de voir tout. Et Polly, elle ne veut pas te montrer qu'elle ne va pas bien ou t'inquiéter ; alors, c'est un cercle mauvais.

— Un cercle vicieux, a rectifié Matt.

— Pardon ?

— C'est comme ça qu'on dit, en fait. On parle de cercle vicieux. Désolé, je ne voulais pas corriger ton expression.

— Non, au contraire, c'est bien. On est là pour apprendre. Écoute, je vais venir avec toi pour te montrer comment nourrir Henry. Comme ça, il n'aura plus faim après. Je dois te dire que le docteur a donné quelque chose à Polly pour stopper la montée de lait. Elle dit que l'allaitement ne fait qu'empirer les choses. Henry va bien et il prend des aliments solides, maintenant. Le lait infantile sera parfait et, comme ça, tu pourras lui donner le biberon et la mère de Polly aussi. Polly doit beaucoup se reposer.

— Je veillerai à ce qu'elle le comprenne. Mais je me sens mal. J'ai vraiment pratiqué la politique de l'autruche. Je me disais qu'elle n'allait pas si mal et qu'elle allait finir par réagir.

— C'est difficile. La dépression postnatale est une vraie maladie, mais elle va guérir. Maintenant, elle peut commencer à récupérer. Tu es un homme bien, Matt, et elle t'aime beaucoup.

Quand Franceska, Henry et Matt sont sortis, je les ai suivis, un peu hésitant d'abord. Mais je voulais être là pour Matt. Même s'il ne le savait pas, je me sentais mieux en étant à ses côtés. Alors, je suis resté tranquillement dans le séjour pendant qu'il nourrissait Henry en respectant les instructions de Franceska.

Ensuite, il lui a donné son bain et l'a couché. Je suis resté assis à côté de lui sur le canapé quand il est revenu et s'est mis à pleurer comme un bébé. Au bout d'un moment, il s'est redressé.

— Ce n'est pas le moment de craquer ! Viens, Alfie. Je vais nous préparer quelque chose à dîner. Je suis sûr que nous avons une boîte de thon dans le placard.

C'était la première fois que je mangeais avec eux, mais je me fichais de la nourriture ; je ne voulais pas les laisser seuls. Je savais que je ne pouvais pas faire grand-chose, mais j'avais le sentiment que ma présence pourrait peut-être les réconforter.

Quelques instants plus tard, Matt est allé voir Polly. Je l'ai accompagné. Elle a ouvert ses yeux magnifiques et l'a regardé.

— Quelle heure est-il ? a-t-elle demandé d'une voix endormie.

— Ça n'a pas d'importance. Henry dort. D'après l'ordonnance que Franceska m'a laissée, tu peux prendre un autre somnifère. Il faut que tu dormes.

Polly a essayé de se redresser.

— Il va bien ? a-t-elle demandé.

Ses yeux se sont remplis de larmes.

— Oui, il va très bien. Et je sais que, dès que tu te sentiras mieux, tu seras du même avis.

— J'ai l'impression d'avoir complètement échoué. Je suis une mère affreuse, une mauvaise épouse et je ne savais pas quoi faire pour ne plus me sentir comme ça.

Matt a caressé doucement ses cheveux.

— Chérie, j'ai le sentiment de vous avoir négligés, tous les deux. J'aurais dû mieux m'occuper de toi, voir que tu n'étais plus toi-même. Je me sens mal, moi aussi.

— Ça ne sert à rien de culpabiliser ou de faire culpabiliser l'autre ? a-t-elle demandé en ouvrant de grands yeux.

Matt a secoué la tête.

— C'est ce que Frankie a dit. Elle a dit qu'on le ferait forcément, mais que ça ne servait à rien et donc qu'il vaut mieux arrêter. Je vais essayer. Le docteur était vraiment adorable. C'était une femme et elle a compris, c'est du moins l'impression que j'ai eue. Je ne voulais pas prendre de médicaments, mais je sais que j'en ai besoin. Je vais accepter toute l'aide que je peux recevoir. Je vais guérir et je vais m'occuper de mon bébé. Tout ce que je veux, c'est être une bonne mère.

— Bien sûr que tu seras une bonne mère, ma chérie.

Matt avait les larmes aux yeux.

— Et je serai là pour vous. Je t'aime, Pol, ne l'oublie jamais.

— J'avais oublié, mais seulement parce que j'avais l'esprit complètement embrumé. Mais je sais et moi aussi, je t'aime.

Il l'a serrée très fort contre lui, et c'était l'une des scènes les plus émouvantes que j'aie vues entre deux humains.

— Oh ! et ta mère va venir. Je suis désolé, mais nous avons besoin d'elle, car je ne peux pas trop prendre de jours de congé. Si seulement, je pouvais…

— Non, Matt. Nous étions tous les deux d'accord pour que tu acceptes cette promotion et pour venir vivre ici. Tu n'as aucune raison de culpabiliser. Et ça sera un grand soulagement, pour moi, d'avoir maman à mes côtés.

Ils sont restés silencieux quelques secondes. Je me suis couché par terre, soudain épuisé par les événements de la journée. Que d'émotions !

— C'était comme un grand trou noir en moi. Je voulais emmener Henry quelque part et le laisser. Juste m'enfuir et retrouver qui j'étais avant. Je l'aime, je le sais au fond de moi, mais je ne le sens pas. Je ne peux pas ressentir la joie dont les autres mères parlent. C'est horrible, Matt, si horrible.

Elle a pleuré et il l'a serrée contre lui.

— Je n'ose même pas imaginer ce que tu as dû ressentir. Mais je vais t'aider, quoi qu'il arrive. Je te demande juste de me parler. Même si tu te sens très mal, tu dois m'en parler. Je ne vais pas te quitter. Je t'aime et j'aime notre famille. Tu ne pourras rien y changer.

— Tu ne peux pas savoir le bien que ça me fait de l'entendre. J'aurais dû être plus honnête avec toi. Quand j'ai senti que je tombais malade, peu après la naissance de Henry, et même avant qu'on déménage ici, j'ai voulu le cacher à tout prix. Mais ça aurait pu me coûter très cher.

— Polly, je te trouve merveilleuse et courageuse, et je sais qu'on va s'en sortir. Ça prendra le temps qu'il faudra. On va y arriver.

— On peut aller le voir ? Je ne veux pas le réveiller. Je veux juste le regarder. J'en ai besoin.

Elle a de nouveau fondu en larmes.

— Viens, a dit Matt en la portant comme si elle était aussi légère que Henry.

J'étais trop endormi pour les suivre jusqu'à la chambre du bébé.

— On dirait qu'Alfie va rester avec nous cette nuit, a dit Matt pendant que je m'assoupissais.

— Il a l'air si bien, ne le dérange pas, ai-je entendu avant de m'endormir complètement.

31

Si, dès le départ, j'ai trouvé que c'était assez intense d'être un chat de pas-de-porte, je n'avais aucune idée de ce qui m'attendait encore : c'était devenu carrément épuisant. Je m'étais construit une petite communauté, et chaque être humain qui la formait était devenu important pour moi, à sa façon. Pourtant, je ne pouvais pas être à quatre endroits à la fois.

Je faisais des allées et venues entre mes différentes maisons, essayant de garder un œil sur tous ceux qui avaient besoin de moi. Apparemment, c'était le cas de tout le monde.

La distance entre chaque maison n'était pas si grande, mais je la couvrais plusieurs fois par jour. J'étais certes un chat très en forme, mais, parfois, je trouvais ces périples un peu fatigants.

Quand je suis arrivé aux appartements, j'ai trouvé Franceska et Matt dehors avec les garçons. Ils jouaient sur l'herbe, exactement comme ils le faisaient avant avec Polly. Fidèle à lui-même, Aleksy m'a salué comme si j'étais son meilleur ami. Franceska et Matt avaient une tasse à la main. Henry était couché sur le ventre, sur une couverture, et Thomasz regardait un livre. Aleksy s'est mis à me chatouiller et j'ai roulé sur le dos pour lui.

— Depuis qu'elle est revenue de chez le docteur, hier, elle a beaucoup dormi. Elle se réveille de temps à autre, mais se rendort presque aussitôt. J'espère que ça va l'aider, disait Matt.

— Bien sûr que ça va l'aider. Elle est tellement fatiguée qu'une partie de la dépression vient de l'épuisement. Comme tu l'as dit, c'est un cercle vicieux.

Franceska et Matt ont ri un peu tristement.

— Je vais aller chercher sa mère à la gare, tout à l'heure. Sa présence va faire une grosse différence, je pense, mais elle ne pourra pas rester chez nous éternellement.

— Matt, ça ne sera pas nécessaire. Polly va se rétablir et plus vite que tu ne le penses.

Les larmes me seraient presque montées aux yeux quand j'ai pensé à cette femme si belle et si fragile, mais j'espérais que Franceska avait raison : elle allait guérir.

Avant sa crise de la veille, j'avais pensé qu'elle allait déjà mieux. Elle paraissait beaucoup plus gaie. Mais il est vrai qu'avant Joe, Claire avait semblé elle aussi beaucoup mieux dans sa peau. Je commençais à réaliser qu'avec les humains, comme avec la nourriture, il ne fallait jamais rien tenir pour acquis.

Après avoir laissé jouer les enfants quelque temps, Franceska est allée préparer le déjeuner pour les enfants, et Matt s'est joint à elle. Il a dit qu'il ne voulait pas déranger Polly, mais j'ai vu qu'il était anxieux et qu'il n'avait pas envie d'être seul.

— Tu prépares le biberon de Henry pendant que je presserai des légumes pour lui, a dit Franceska.

— Tu es sûre que ça ne te dérange pas ?

— Allons ! Je prépare de toute façon des légumes pour mes garçons. Je dois juste les écraser ensuite pour Henry. C'est facile. C'est facile si nous mangeons tous ensemble. J'ai de la soupe pour nous, du bortsch.

— Je n'ai jamais goûté, a répondu Matt d'un ton quelque peu dubitatif.

— Thomasz en fait dans son restaurant. C'est très bon. Tu veux goûter ?

— Bien sûr, avec plaisir.

Matt était très poli, mais le ton de sa voix ne m'a pas franchement convaincu. Quand j'ai vu ce truc rouge vif, j'ai eu quelques doutes, moi aussi. Heureusement, Franceska avait des sardines pour moi.

Après le repas, ils sont tous allés se promener, puis Franceska a pris Henry pour que Matt puisse aller voir Polly avant d'aller chercher sa mère à la gare. Je suis resté un peu plus longtemps pour jouer avec les garçons. Thomasz s'intéressait de plus en plus à moi, désormais. Il copiait son frère ; c'était donc doublement épuisant.

Quand j'ai gratté à la porte pour sortir, j'étais fatigué par tous les jeux et j'avais le ventre un peu lourd à cause des sardines. Pour une fois, ça m'a vraiment fait du bien de marcher pour rejoindre mes autres maisons.

Je suis allé voir Claire d'abord, car j'étais pratiquement certain que Jonathan n'était pas encore rentré du travail. J'ai réalisé, en passant par la chatière, que j'avais peur de cette maison, désormais. Mes poils se dressaient sur mon dos. Ce n'était pas un sentiment agréable.

Claire avait été ma première maîtresse et elle m'avait si bien accueilli que c'était très perturbant d'avoir l'impression d'être un intrus dans sa propre maison. Claire était dans la cuisine et, quand elle s'est tournée vers moi, j'ai tout de suite vu qu'elle avait pleuré.

— Alfie, te voilà enfin !

Elle m'a porté dans ses bras.

— Je commençais à m'inquiéter : ça fait presque deux jours. Honnêtement, Alfie, j'aimerais bien savoir où tu vas quand tu sors d'ici. Tu as une petite copine ? a demandé Claire.

J'ai miaulé en prenant un air coupable.

— Bon, je vais te donner à manger. Je sais que, tout comme n'importe quel chat qui se respecte, tu aimes bien vadrouiller, mais n'oublie pas que je m'inquiète quand je ne te vois pas.

Elle parlait doucement, mais j'avais comme l'impression qu'elle était en train de me réprimander. J'ai miaulé, essayant de lui faire comprendre que, si elle se débarrassait de Joe, je ne serais plus aussi nerveux à l'idée de rentrer à la maison, mais je savais que c'était vain. J'ai frotté ma tête contre son cou pour m'excuser plutôt.

— C'est quoi, tout ce tapage ? a demandé Joe en entrant dans la cuisine.

Comme d'habitude, il portait un jean et un teeshirt, mais j'ai remarqué qu'il avait pris du ventre. Plus Claire maigrissait, plus il grossissait.

— Alfie est revenu. Je vais lui donner à manger,

a-t-elle dit en me posant et en sortant une boîte de terrine du placard.

— Le chat est mieux traité que moi, a-t-il dit avec colère.

— Ne dis pas n'importe quoi, a répondu Claire en riant.

— Ne t'avise surtout pas de rire de moi ! a-t-il crié soudain.

J'ai eu un mouvement de recul, tout comme Claire.

— Je ne…

— Mais si, tu te moques de moi ! Et tu sais quoi ? J'en ai assez. Tu me traites comme une merde ! Tu crois que tu peux me marcher sur les pieds, parce que j'ai perdu mon travail, alors que ce n'était même pas ma faute ?

Je me suis littéralement mis en boule à côté des placards de la cuisine. J'étais terrifié, mais je ne savais pas quoi faire. Comme Joe avait plusieurs fois tenté de me faire du mal, je ne savais pas jusqu'où il pouvait aller. Il a avancé vers nous, l'air menaçant, puis a semblé se raviser ; il s'est retourné et a donné un coup de poing dans le mur. C'était un geste soudain, violent, et Claire a crié. Il ne l'avait pas frappée, il ne s'en était pas pris à moi, mais il nous avait fait peur à tous les deux. Il y a eu un long silence.

— Joe, je crois que tu devrais partir, a dit Claire d'une voix tremblante.

Je me suis étiré de tout mon long et j'ai failli sauter de joie. Le visage de Joe s'est assombri, puis soudain son expression a changé.

— Je suis désolé, mon Dieu, je suis désolé.

Il a frotté sa main.

— Je ne sais pas ce qui m'a pris... J'ai pété les plombs. C'est la première fois que ça m'arrive.

Il s'est approché de Claire, qui s'est reculée un peu plus. Je suis allé me poster devant elle pour la protéger. Je voulais dire à Claire que c'était un menteur, mais je ne pouvais pas.

— Joe, tu viens de faire un gros trou dans mon mur et tu dis que tu n'as pas fait exprès, que tu ne voulais pas t'énerver, a-t-elle fait remarquer.

Sa voix trahissait plus la peur que la colère.

— Oh mon Dieu, qu'est-ce que j'ai fait ? Je suis désolé.

Puis, à ma grande surprise, il s'est mis à pleurer.

— Ne pleure pas, Joe, a dit Claire qui s'est immédiatement radoucie.

— Pardon, pardon ! Qu'est-ce que tu dois penser de moi, maintenant ? Claire, je ne me comporte jamais comme ça. Je suis juste perturbé par ce qui s'est passé au travail et la perte de mon appartement. J'ai l'impression de vivre à tes crochets.

— Mais ça ne me dérange pas. Je sais que ça ne va pas durer éternellement, tu vas bientôt trouver un nouveau job et tout va rentrer dans l'ordre.

Il n'y avait plus la moindre trace de colère dans la voix de Claire. Il parvenait si bien à la manipuler. Je n'avais plus d'espoir.

— J'espère. C'est la crise, tu sais. Personne n'embauche, en ce moment. Je vais peut-être pouvoir travailler un peu en free-lance, mais j'ai vraiment l'impression d'être un raté. J'avais un bon poste et, maintenant, regarde-moi.

— Joe, a dit Claire en allant vers lui.

Elle l'a pris dans ses bras, à mon grand désespoir et à mon plus profond dégoût.

— Je t'aime et je suis là pour te soutenir quoi qu'il advienne. Maintenant, arrête de te faire des idées et ne te mets plus jamais en colère comme ça.

C'était étrange d'entendre Claire parler ainsi, comme si c'était elle qui contrôlait la situation, mais j'étais furieux qu'elle l'ait pardonné aussi facilement. Il allait encore se mettre en colère.

Les hommes comme lui se mettaient toujours en colère. En plus, il ne la rendait pas heureuse. Elle devait être folle pour croire une chose pareille.

— Je te le promets, Claire. Je t'aime tellement. Je te revaudrai ça, tu as ma parole.

— Tu peux commencer en réparant le mur, a-t-elle dit en riant faiblement.

Je suis parti d'un air digne, en signe de protestation, mais mon geste est malheureusement passé complètement inaperçu. Je suis allé chez Jonathan. Il était visiblement rentré depuis un certain temps du travail, car il avait déjà enfilé son jogging.

— Oh ! te voilà. Je me demandais où tu étais passé. Je suppose que tu flirtais avec des chattes.

J'ai miaulé. J'aurais bien aimé répondre : « En fait, non, j'étais en présence d'un forcené qui m'a terrifié et j'aimerais beaucoup que tu t'occupes de lui. »

— En tout cas, mange un peu et après tu pourras dormir. Flirter n'est pas de tout repos.

J'ai ronronné.

— Tope là, a dit Jonathan.

Je l'ai regardé sans comprendre. Tu sais, tu lèves la main ou la patte, et moi je fais pareil.

J'ai levé la patte, qu'il a tapée avec sa main.

— Quel chat intelligent ! Tu as appris ton premier tour. Je savais que j'avais bien fait de me débarrasser de Philippa et de te garder.

Il a ri. Je l'ai regardé, surpris. Il m'avait suffi de lever une patte pour obtenir une telle réaction ? Ce n'était pas comme si j'avais parlé ou même dansé ! Franchement, il ne fallait parfois pas grand-chose pour faire rire les humains et les rendre heureux.

Jonathan et moi avons mangé ensemble, puis il est parti à la salle de sport. Je n'avais aucune envie de ressortir. J'étais épuisé par ma journée, aussi bien physiquement qu'émotionnellement ; alors, je suis allé m'installer sur ma couverture en cachemire pour dormir.

J'ai repassé les événements de la journée dans ma tête et j'ai eu le sentiment que j'approchais du but. Franceska et sa famille se portaient bien. Contrairement aux autres, ils n'étaient pas confrontés à des problèmes trop graves. C'était du moins mon opinion. Polly, bien que toujours malade, était sur la bonne voie. J'en étais certain. Jonathan était certes toujours seul dans sa grande maison (avec moi, naturellement), mais il semblait optimiste. Je l'aimais vraiment. Il ne restait plus que Claire.

J'avais vu de mes propres yeux combien Joe pouvait être effrayant. Je savais que ça n'allait pas être un incident isolé. J'étais persuadé qu'il se remettrait en colère et, la prochaine fois, c'est à Claire qu'il s'en prendrait. J'en étais sûr.

Je ne pouvais pas supporter l'idée qu'il puisse faire du mal à ma Claire. Il avait une sorte d'emprise sur elle. Je ne savais pas jusqu'où il pouvait aller, mais je sentais d'instinct qu'il était dangereux pour elle. Comment cette histoire allait-elle se terminer ? Je n'en avais aucune idée, mais il fallait absolument que ça cesse. J'ai senti que je pouvais peut-être faire quelque chose pour le faire partir, mais je ne savais pas encore quoi. Tandis que je m'endormais sur ma couverture en cachemire si douce et si confortable, j'ai dit une prière de chat pour trouver la réponse avant qu'il ne soit trop tard.

32

Je me suis réveillé avec la réponse. Il faisait encore nuit dehors, mais le concert de l'aube n'allait pas tarder à commencer. Pas étonnant que les chats chassent et tuent les oiseaux. Ils font un tel vacarme au petit matin. Est-ce vraiment nécessaire ? J'ai regardé Jonathan qui dormait. Il semblait si paisible, si satisfait. Bien que terrifié à l'idée de ce qui m'attendait, j'ai essayé de trouver un peu de réconfort dans sa présence.

J'allais prendre un gros risque, je le savais. Mon plan, qui avait pris forme pendant que je dormais, était plus que téméraire. Mais je savais que je n'avais pas d'autre choix. Il fallait prendre le risque en espérant que tout se déroulerait pour le mieux.

Je me suis blotti contre Jonathan. Je n'avais qu'une seule certitude : aujourd'hui, tout allait changer, et je voulais qu'il sache que je l'aimais, quoi qu'il advienne. Il a dormi paisiblement, avec moi à ses côtés, puis son réveil a sonné et il s'est redressé. J'ai sauté sur son torse et je lui ai souri encore une fois.

— Alfie, qu'est-ce que tu fais sur mon lit ? a-t-il demandé presque gentiment.

J'ai miaulé, il m'a donné une petite tape affectueuse, puis il s'est levé.

J'ai descendu l'escalier, mais j'avais les pattes un peu chancelantes. Je ne m'étais jamais considéré comme un chat courageux. Il fallait bien reconnaître que, quand je vivais auprès de Margaret et d'Agnès, j'étais tout sauf courageux. Ensuite, quand Agnès avait décidé de m'aimer, je n'avais plus aucune raison de l'être. Pourtant, lorsque je les avais perdues toutes les deux, j'avais trouvé en moi un courage que je ne soupçonnais pas et qui m'avait aidé à survivre. Par conséquent, même si j'avais les pattes un peu en coton, ma résolution n'en était pas moins intacte.

J'ai attendu Jonathan dans la cuisine. Quand il est arrivé, il a préparé le café, m'a donné du lait, puis a préparé des tartines pour lui et m'a servi du saumon froid qu'il avait cuisiné. J'ai savouré mon petit-déjeuner, car c'était peut-être le dernier avant longtemps.

— Bon, Alfie, j'y vais, mais je te verrai à mon retour du travail, a dit Jonathan en se levant.

J'ai croisé les pattes en espérant que ça serait bien le cas.

Je suis allé chez Claire. En arrivant, j'ai constaté qu'elle avait mauvaise mine comme si elle n'avait pas dormi de la nuit. Elle m'a donné une petite tape sur la tête, distraitement, et j'ai vu dans ses yeux qu'elle avait peur.

Elle n'était pas heureuse avec Joe, tout le monde le voyait, mais elle semblait penser que la pire des choses, c'était d'être seule. J'avais entendu que certains humains préféraient être mal accompagnés plutôt que de vivre seuls. Claire entrait dans cette catégorie. Pourtant, en la voyant dans cet état déplorable, puis en regardant le trou béant dans le mur, j'ai compris qu'il fallait à tout prix que je mette mon plan à exécution.

J'ai quitté la maison avec Claire qui partait au travail. Je l'ai accompagnée un peu dans la rue jusqu'à l'endroit où elle devait tourner.

— Fais attention, Alfie, et on se voit ce soir.

Je me suis frotté contre sa jambe. J'étais certain de la voir ce soir, en effet.

Il était temps pour moi de traîner mes pattes tremblantes jusqu'aux appartements 22, où j'ai gratté à la porte pour que Franceska me laisse entrer.

— Alfie, ont dit Aleksy et Thomasz en chœur.

Ils m'ont accueilli avec leur enthousiasme habituel. J'ai eu un geste affectueux pour chacun d'eux, et ils m'ont récompensé en me chatouillant le ventre pendant que j'étais couché sur le dos. Ça ne semblait pas les déranger de me caresser pendant des heures, et je me suis délecté de ces merveilleuses sensations pendant qu'il était encore temps. J'ai joué avec eux jusqu'à ce que Franceska dise qu'il était temps d'aller voir Polly. Comme je n'avais pas revu Polly depuis le jour où elle était partie chez le docteur, j'étais ravi de passer chez elle.

La femme qui a ouvert la porte n'était pas Polly. C'était une femme plus âgée et plutôt élégante. Elle n'était pas aussi vieille que Margaret, néanmoins.

— Franceska, quel plaisir de vous voir ! a-t-elle dit en souriant.

— Bonjour, Val. On venait prendre des nouvelles de Polly et on voulait savoir si vous aviez besoin d'aide ou de quoi que ce soit.

— Oui, vous pouvez entrer, elle sera ravie de vous voir et les garçons pourront distraire Henry.

Elle s'est effacée pour laisser passer Franceska et les enfants, et je les ai suivis dans l'appartement.

— Oh ! bonjour ! Tu dois être Alfie, le chat héroïque !

J'ai ronronné. Décidément, cette femme me plaisait.

Polly portait un pyjama ; elle était néanmoins magnifique et avait un peu meilleure mine. Franceska l'a serrée dans ses bras pendant que les garçons se dirigeaient tout droit vers Henry, qui était assis sur son tapis d'éveil, entouré de coussins.

— Frankie, je suis contente de te voir, a dit Polly. Maintenant que j'ai dormi tout mon soûl, je me sens mieux.

— Super, mais prends ton temps.

— Je fais chauffer de l'eau ? a proposé la mère de Polly.

— Oui, merci, maman.

— Je peux vous aider ? a demandé Franceska.

— Non, asseyez-vous et tenez compagnie à ma fille.

Elle a quitté la pièce.

— Et toi, Frankie, comment vas-tu ?

— Très bien. Aleksy commence son école la semaine prochaine et j'ai trouvé une crèche pour Thomasz. C'est bien pour lui de rencontrer d'autres enfants. Comme ça, je pourrai trouver un travail à mi-temps. Dans un magasin ou quelque chose comme ça.

— C'est une bonne idée ! Pour améliorer ton

anglais, faire de nouvelles rencontres. Je ne t'ai jamais demandé ce que tu faisais en Pologne.

— Ma famille avait une épicerie. Je travaillais là-bas. Pas très excitant, mais j'aimais bien. J'aimais servir les gens et discuter un peu avec eux.

— Aleksy ? a dit Polly.

Il s'est retourné. J'étais surpris. C'était la première fois que j'entendais Polly s'adresser directement à lui, mais je suppose qu'elle n'en était pas consciente.

— Oui ? a-t-il répondu.

— Oui, Polly, a rectifié sa mère.

— Pardon. Oui, Polly ?

Polly a ri.

— Tu es content d'aller dans ta nouvelle école ?

— Oui, mais j'ai un peu peur aussi.

— Bon, je pense qu'on devrait aller dans les magasins, tous les deux, pour te choisir un beau cartable et une trousse. Un petit cadeau de rentrée de la part de Matt et moi.

— Waouh ! Vraiment ? Je peux avoir un cartable de Spider-Man ?

— Ce que tu veux.

— Polly, a commencé Franceska.

— Non, s'il te plaît, Frankie. Je ne pourrai jamais te rendre tout ce que tu as fait pour moi et j'espère que tu ne seras jamais dans ma situation, mais laisse-moi au moins gâter les garçons. De toute façon, il va bien falloir que je sorte un peu. Je ne vais pas pouvoir rester cloîtrée ici éternellement. Une virée dans un magasin pour acheter le cartable de Spider-Man me fera le plus grand bien.

— Dans ce cas, merci.

Val est revenue avec la théière et les tasses, et

elles ont toutes discuté comme de vieilles amies. Les garçons ont joué avec Henry et moi, et j'étais un peu ému à l'idée de les quitter bientôt. Mais je savais que tout irait bien pour eux. Ils étaient heureux.

Et, si Polly n'était pas encore complètement rétablie, elle était déjà beaucoup plus gaie qu'auparavant. Je l'ai compris quand elle a pris Henry dans ses bras et l'a embrassé. Je ne l'avais jamais vue le faire auparavant. Henry n'a pratiquement pas pleuré une seule fois pendant le temps que j'étais là. J'ai eu le sentiment qu'un miracle s'était produit aux appartements numéro 22.

Avant le déjeuner, elles ont décidé d'aller se promener dans le parc.

— J'ai besoin de prendre l'air, a dit Polly. Je vais vite me mettre quelque chose sur le dos.

J'ai trouvé que c'était une drôle d'expression, mais elle est revenue vêtue d'un jean et d'un tee-shirt. Ils ont enfilé leurs chaussures. Polly a installé Henry dans sa petite poussette, et Thomasz a insisté pour marcher. Je les ai suivis jusqu'au portail. Avant de s'éloigner, ils se sont retournés pour me dire au revoir.

— Au revoir, Alfie, a dit Aleksy.

— Au revoir, Alfie, a répété Thomasz.

Polly et Franceska se sont baissées toutes les deux pour me caresser.

— Si tu reviens à l'heure du déjeuner, je t'achèterai du poisson sur le chemin du retour, a dit Polly.

J'ai miaulé pour exprimer ma joie.

— On jurerait qu'il a compris, a fait remarquer Val.

— C'est un chat très intelligent, a dit Franceska. Bien sûr qu'il a compris.

Je me suis dépêché d'aller retrouver Tigresse. J'ai pris le chemin de derrière, un peu plus rapide. J'ai sauté pardessus les clôtures, évitant les chiens qui grondaient et montraient les dents. Je l'ai trouvée en train de se prélasser au soleil dans le jardin à l'arrière de sa maison. Je lui ai immédiatement parlé de mon plan et j'ai vu qu'elle était affligée.

Elle s'est mise à miauler pour me faire comprendre combien ça la contrariait, mais j'ai essayé de lui expliquer mon raisonnement. Elle m'a traité de tous les noms de chat et m'a dit que j'étais un idiot. Puis elle a crié et elle a dit qu'elle avait peur pour moi parce qu'on ne savait pas ce qui pouvait arriver. Elle a dit que j'étais un chat très courageux et très stupide aussi. Et je ne pouvais pas vraiment la contredire. Après avoir frotté ma tête contre la sienne pour lui dire au revoir, je lui ai promis que je ferais tout mon possible pour rester entier !

Essayant d'oublier ma visite chez Tigresse et ce qui m'attendait ensuite, je suis retourné à toute vitesse au numéro 22 pour manger mon poisson !

— On va dans mon appartement, a dit Franceska, quand je l'ai vue dehors avec les garçons. Henry dort et Val veut que Polly se repose un peu aussi. Alors, c'est moi qui ai ton poisson.

J'ai ronronné de plaisir et je les ai suivis dans l'escalier.

Aleksy a allumé la télévision, et Thomasz s'est assis par terre le plus près possible de l'écran. Franceska, qui était dans la cuisine, a crié :

— Tu es trop près, Thomasz, recule !

Elle a ri. Je me suis demandé si elle pouvait voir à travers les murs. Les chats ont une excellente vue et peuvent sentir les objets, mais ils sont incapables de voir ce qui se passe derrière un mur ! Je suis allé dans la cuisine et j'ai attendu mon déjeuner. Comme promis, elle m'a fait cuire du poisson, puis m'a servi. J'avais presque l'impression d'être un humain, sauf que j'ai mangé par terre. J'ai vite vidé ma gamelle, puis je me suis débarbouillé pendant qu'elle mangeait avec les garçons.

Après le déjeuner, elle a mis Thomasz au lit, même s'il n'avait aucune envie de faire la sieste. Puis elle a passé un peu de temps à lire avec Aleksy.

— C'est dur de lire en anglais, s'est-il plaint.

— Oui, mais tu te débrouilles très bien. Bientôt, tu seras meilleur que ta maman.

— Tu crois que je vais aimer l'école ? a-t-il demandé, l'air inquiet.

— Bien sûr que tu vas aimer, comme en Pologne.

— Oui, mais dans une langue différente.

— Oui, et les professeurs disent qu'ils seront très gentils avec toi et qu'ils t'aideront. Alors, tu ne dois pas t'inquiéter.

J'ai vu que, malgré ses paroles réconfortantes, Franceska était inquiète pour son fils.

— Et si Polly m'achète un cartable, je serai très content.

Aleksy s'est tortillé dans tous les sens quand sa mère lui a fait un bisou sur la joue et un câlin. Après la lecture, Aleksy a sorti ses jouets et a voulu que j'essaie d'attraper ses voitures. J'ai joué avec lui, mais je commençais à avoir mal au ventre. J'étais de plus en plus nerveux. Malgré mes efforts pour amuser Aleksy, je n'avais pas vraiment la tête à jouer. Je me suis sermonné.

C'était sans doute notre dernier après-midi de jeux avant un petit bout de temps, et qui sait peut-être très longtemps ; alors, je devais faire tout mon possible pour m'amuser avec Aleksy.

C'était la moindre des choses. J'ai laissé Aleksy pousser la voiture, puis j'ai couru après et j'ai ensuite essayé de la pousser en direction d'Aleksy avec ma patte. Ce n'était pas facile. Il a ri de plaisir en me voyant faire. Nous avons joué un long moment, mais il était temps de partir. J'allais mettre mon plan à exécution, si risqué fût-il.

En leur disant au revoir, j'ai gravé leurs visages dans ma mémoire. J'espérais de tout mon cœur les revoir bientôt.

33

Les pattes tremblantes, je me suis approché de la maison de Claire. Tigresse m'attendait devant. Elle a frotté sa tête contre la mienne et m'a souhaité bonne chance. Elle m'a supplié de laisser tomber, mais j'ai répondu que je ne pouvais pas.

Quelque chose me disait qu'il fallait que je le fasse pour le bien de Claire que j'aimais tant. J'étais peut-être en colère contre elle, contrarié par sa faiblesse, mais je l'aimais et elle avait besoin de moi. J'avais le sentiment qu'elle ne pouvait compter que sur moi, et, même si je ne pesais pas bien lourd, j'espérais que ça suffirait.

J'ai sauté avec une énergie feinte par la chatière, puis, une fois dans la maison, je me suis immobilisé. J'ai compris que Claire n'était pas encore rentrée. Joe était dans la salle de séjour, en train de regarder la télévision.

J'ai pris une profonde inspiration et j'ai senti mes poils se hérisser. Je n'avais pas été aussi terrifié depuis l'époque où j'étais sans domicile. Mon petit cœur de chat battait si vite, que j'avais la sensation qu'il allait bondir hors de mon corps.

Je me suis assis dans le couloir et j'ai attendu. Je ne sais pas combien de temps je suis resté ainsi, mais j'ai fini par entendre les pas de Claire dans l'allée et j'ai remercié Dieu de nous avoir donné, à nous les chats, une si bonne ouïe. Il fallait agir au bon moment, le timing était une composante essentielle de mon plan. Je suis entré en courant dans le séjour et j'ai tout de suite sauté sur les genoux de Joe. Il a d'abord semblé surpris, puis, comme je l'avais prévu, il s'est mis en colère.

— Descends tout de suite, sale bestiole ! a-t-il crié.

J'ai feulé avant de l'attaquer et de le griffer au bras. J'ai fermé les yeux, car je savais ce qui m'attendait.

— Foutu chat, je te déteste, a-t-il dit en me jetant à travers la pièce. Je me suis roulé en boule et, quand je me suis senti tomber, j'ai tendu les pattes et je suis retombé dessus. Claire étant entrée dans la maison, j'ai miaulé le plus fort possible.

Joe a traversé la pièce à toute vitesse et m'a roué de coups de pied. La douleur s'est emparée de tout mon corps et je n'avais même plus la force de crier.

— Oh mon Dieu, qu'est-ce que tu fais ? Tu vas le laisser, espèce de salaud ! a crié Claire.

C'est la dernière chose que j'ai entendue avant de perdre connaissance.

Malgré toutes les séries télévisées sur les urgences et les hôpitaux que j'avais regardées avec Margaret, je ne savais pas si j'étais conscient, inconscient ou entre les deux. Je savais que je n'étais pas mort, car je n'avais vu ni Agnès ni Margaret et j'étais persuadé que je les reverrais une fois que j'aurais quitté ce monde.

J'avais chaud, en tout cas, et j'avais vaguement la sensation de me déplacer, mais la douleur m'empêchait d'y voir plus clair. J'ai cru entendre des voix et j'ai été rassuré quand j'ai reconnu celle de Claire.

— Qu'est-ce que j'ai fait ? s'est-elle écriée. Il s'est servi de moi et je l'ai laissé faire ! Et maintenant, il est parti et il a failli tuer Alfie. Oh mon Dieu, je ne me le pardonnerai jamais s'il meurt.

— Claire…

C'était la voix de Tasha, je la reconnaissais.

— Tu étais vulnérable après le divorce. Nous pensions tous que tu allais mieux, mais, en fait, non ! Tu croyais que tu ne valais rien et j'aurais dû m'en rendre compte. Joe l'a tout de suite compris, lui. Les hommes comme lui sentent ce genre de choses. Ne culpabilise pas, ça ne sert à rien. Écoute, Alfie va s'en sortir ; nous sommes presque arrivées chez le véto et je sais qu'il va s'en tirer.

Pourtant, elle parlait d'une voix qui m'a paru mal assurée, comme si elle en doutait.

— Et il t'a sauvée.

— Tu sais, Alfie l'a vu donner un coup de poing dans un mur l'autre jour. Je parie qu'il s'est dit qu'il s'en prendrait à moi la prochaine fois.

— C'est ce qu'il aurait fait si tu ne l'avais pas flanqué à la porte.

— Je m'en rends compte, maintenant. Quand je l'ai vu rouer de coups un pauvre petit chat sans défense, je me suis soudain réveillée et j'ai trouvé la force de le chasser. Je ne m'en serais jamais crue capable. Je l'ai poussé. J'étais tellement en colère que je l'ai frappé, puis il a refait son numéro du mec qui est désolé. Incroyable ! Mais, cette fois-ci, je n'ai rien voulu entendre. Je lui ai dit que, s'il ne partait pas dans cinq minutes, j'appellerais la police.

— Qu'est-ce qu'il a fait ?

— Il a pleuré, comme quand il avait donné le coup de poing dans le mur, mais j'ai tenu bon. J'avais trop peur de prendre Alfie, de le porter. C'est pour ça que je t'ai appelée. Il y avait du sang partout et il ne bougeait plus. Joe était toujours là, comme s'il n'avait pas l'intention de partir ; alors, je lui ai dit de foutre le camp, et c'est là qu'il est devenu méchant. Comme j'avais mon téléphone à la main, j'ai composé le 999 et je lui ai dit que, s'il ne dégageait pas tout de suite, j'appuyais sur le bouton APPEL.

— Et c'est à ce moment-là qu'il est parti ?

— Oui, mais pas sans m'avoir traitée de tous les noms.

— Il était horrible !

— Mais pourquoi je ne m'en suis pas rendu compte ?

— Je ne sais pas, à vrai dire. Je pense qu'il avait une certaine emprise sur toi. Et peut-être que, quand on veut très fort quelque chose, on ne voit que ce qu'on veut bien voir. Claire, il faut que ça te serve de leçon. Il y a malheureusement beaucoup d'hommes comme Joe.

— Je suis vraiment désolée. J'ai été stupide et je ne me le pardonnerai jamais s'il arrive quelque chose à Alfie.

— C'est ce genre d'attitude, le fait que tu te trouves stupide, qui t'a mise dans le pétrin.

Tasha était très franche et très directe avec Claire,

et ça m'a plu. Claire pleurait, et ça ne m'a pas plu, mais j'ai senti que j'allais de nouveau perdre connaissance. Dans mon état, je ne pouvais plus faire grand-chose.

Mon plan avait marché, en tout cas. J'avais réussi à me débarrasser de Joe. Enfin ! Il ne me restait plus qu'à espérer que le prix à payer ne serait pas trop élevé !

34

J'ignore combien de jours s'étaient écoulés depuis que j'avais été admis dans cet étrange endroit. J'étais dans un hôpital pour animaux, où le vétérinaire me soignait. Il a dit que je devais rester là, car j'étais la plupart du temps inconscient. J'avais vaguement entendu parler d'une opération et on m'avait fait des piqûres. Après, tout était devenu noir autour de moi. J'entendais des voix, mais je ne parvenais pas toujours à comprendre ce qu'elles disaient. On me donnait des médicaments contre la douleur, qui me soulageaient, certes, mais qui me rendaient somnolent. Je n'avais plus peur, car je n'avais même plus l'énergie de ressentir de telles émotions. J'avais l'impression de passer mon temps à dormir. Pourtant, ce n'était pas un sommeil normal, avec des rêves peuplés de poissons, c'était un sommeil où il ne se passait rien, où il n'arriverait jamais rien.

Un jour, je me suis réveillé et j'ai ouvert les yeux. J'ai bougé les moustaches ; elles étaient toujours là. Même si je ne pouvais toujours pas me lever, j'ai senti que mon cerveau fonctionnait un peu plus normalement.

— Alfie, a dit une femme.

Je l'ai regardée. Elle portait une blouse verte et avait les cheveux attachés. Elle avait l'air gentille.

— Je m'appelle Nicole. Je suis l'une des infirmières qui s'occupent de toi. Je suis contente de voir enfin tes yeux. Le vétérinaire va t'examiner dans une minute.

J'ai compris alors que j'allais mieux. Le vétérinaire m'a tâté partout et j'ai feulé, mais ça l'a fait rire. Nicole m'a caressé, puis elle a dit que j'étais suffisamment remis pour que Claire me rende visite.

J'ai failli pleurer de joie quand Claire est arrivée avec Tasha. C'était encore un peu dur de garder les yeux ouverts, mais j'ai fait l'effort et je n'ai pas été déçu. Elle avait bien meilleure mine, comme quand elle était revenue de son week-end chez ses parents, comme avant qu'elle ne rencontre Joe.

— Oh ! Alfie, ils m'ont dit que tu allais t'en sortir, s'est-elle écriée.

Elle avait le visage baigné de larmes, des larmes de bonheur, ai-je supposé.

— Dieu merci, tu as retrouvé ta belle frimousse ! Je viens de vivre la semaine la plus longue de ma vie, a dit Claire, mais, si tu continues comme ça, dans une semaine, tu pourras rentrer à la maison avec moi.

— Et ne t'inquiète pas, il n'y a plus de Joe, a ajouté Tasha.

— Non, il est parti depuis longtemps, et personne ne viendra plus s'immiscer entre nous. Tu m'as sauvée, Alfie, je le sais.

— Tu ne trouves pas ça bizarre ? a dit Tasha.

— Quoi ? a demandé Claire.

— Que ça se soit passé de cette façon ?

— Qu'est-ce que tu veux dire ?

— Eh bien, on dirait qu'il avait tout planifié. Joe donne un coup de poing dans le mur et vous effraie tous les deux. Un ou deux jours plus tard, tu rentres du travail et tu le trouves en train de donner des coups de pied à ton chat.

— Parce que c'est une brute et j'ai encore du mal à penser à tout ça, a dit Claire d'une voix brusque.

— Non, mais, si j'ai bien compris, il a dit que c'était Alfie qui l'avait attaqué, non ? Et si c'était vrai ? S'il avait provoqué Joe pour empêcher qu'il ne s'en prenne à toi un jour ?

— Je sais qu'Alfie est intelligent, mais peut-être pas à ce point, quand même ? Tash, tu es folle ? C'est un chat.

Je n'ai pas pu m'empêcher de sourire intérieurement avant de me rendormir.

Claire m'a souvent rendu visite, les jours suivants. J'ai commencé à reprendre des forces. Je pouvais me lever, car, heureusement, je n'avais rien de cassé, mais je ressentais encore des douleurs, et le véto a dit que je ne serais peut-être plus aussi agile qu'avant. Peu m'importait, car je pouvais encore marcher et, même si j'avais eu des lésions internes, j'avais eu beaucoup de chance, apparemment. Je ne m'en étais pas rendu compte sur le moment, ni même après, mais c'était sans doute vrai !

Quelques jours avant mon retour à la maison, Claire est revenue, mais pas avec Tasha, cette fois. J'étais conscient, bien qu'à moitié endormi, car on venait de me donner des médicaments et je n'arrivais pas vraiment à ouvrir les yeux. Pourtant, la voix que j'ai entendue était reconnaissable entre toutes.

— Alfie ! s'est-il écrié. Qu'est-ce qui t'est arrivé ?

Mon Jonathan ! J'ai essayé en vain d'ouvrir les yeux.

— Alors, comme ça, Alfie serait ton chat ?

Au son de sa voix, j'ai compris que Claire était contrariée.

— Je t'ai dit que c'était mon chat ! Je l'ai cherché partout.

— J'ai vu tes affiches, mais je me suis dit que ça ne pouvait pas être le même chat, puisque c'est le mien.

— Quoi ? Tu n'as même pas réagi après avoir vu mes affiches disant que j'avais perdu un petit chat gris appelé Alfie ?

La voix de Jonathan trahissait sa colère. Ça m'a rappelé la première fois que je l'avais vu.

— Oui, je comprends ce que tu penses.

Claire semblait un peu penaude.

— Alors, malgré le fait qu'il est exactement pareil et qu'il porte le même nom, tu as quand même pensé que c'était un autre chat ?

J'ai constaté avec joie que Jonathan n'avait pas changé depuis mon absence.

— Oui, parce que c'est mon chat !

— C'est ce que tu dis, mais combien de chats appelés Alfie, gris comme lui, y a-t-il dans une rue de Londres, à ton avis ?

L'impatience perçait dans sa voix.

— Je ne… Désolée, il doit vivre chez toi et chez moi.

— C'est ce qui explique sans doute pourquoi il disparaît parfois pendant si longtemps.

— Je me suis toujours demandé où il allait, a dit Claire.

— Dire que ça fait plus d'une semaine que je mets des affiches, et tu n'as même pas songé à m'appeler.

— Je ne les ai pas vues tout de suite et, comme je l'ai déjà dit, je ne pensais pas qu'il s'agissait du même chat. C'est ce soir, quand je t'ai vu mettre les affiches, que j'ai compris. Je suis venue te voir, n'est-ce pas ?

Pour une fois, Claire ne se laissait pas faire. Elle tenait tête à Jonathan, ce qui m'a beaucoup amusé.

— J'étais mort d'inquiétude.

— Bien sûr, je comprends et je suis désolée. Vraiment. Mais je pensais que c'était mon chat !

J'ai essayé de miauler pour leur rappeler que j'étais là, mais aucun son n'est sorti.

— Et qu'en est-il du gamin ?

J'ai dressé les oreilles. Parlaient-ils d'Aleksy ? Je commençais à me sentir aimé. J'avais manqué à Jonathan et il m'avait cherché. Les familles du numéro 22 aussi, peut-être ?

— Écoute, je n'ai vu que tes affiches. Je n'avais pas vu les autres, avec le dessin d'un chat, avant que tu ne me les montres.

Claire semblait nerveuse.

— Et quand bien même je les aurais vues… Franchement, le dessin ne ressemblait pas vraiment à mon Alfie.

Elle a laissé échapper un petit rire.

— L'enfant, du moins je suppose que c'est un

enfant, à moins que ça ne soit un adulte vraiment pas doué pour le dessin, doit être dans tous ses états.

— Je sais et j'ai mauvaise conscience, mais je ne savais pas que mon Alfie était aussi populaire !

Elle a ri.

— Il devait être nourri partout.

— Oui, je suppose que ce petit galopin était bien nourri et que tout le monde s'occupait parfaitement de lui. On lui connaît au moins trois maisons. Dieu sait combien il y en a encore. Et si on allait voir le petit garçon en sortant d'ici ? S'il est comme moi, il doit se faire un sang d'encre pour Alfie.

— Je suis vraiment désolée.

— Si jamais je croise le salaud qui a fait ça à Alfie, je le tue ! Qui peut s'en prendre à un chat sans défense ? Quelle ordure !

Le visage de Jonathan s'est assombri.

— Je sais, j'aurais dû appeler la police, au moins. Je me sens responsable et vraiment mal d'avoir laissé faire ça.

— Ce n'est pas entièrement ta faute, a dit Jonathan sans se dérider complètement, mais d'une voix un peu moins dure.

— Si, c'est ça, le problème. C'est entièrement ma faute.

— Ça n'a pas dû être facile pour toi de voir quelqu'un s'acharner sur lui, a concédé Jonathan.

Claire a fondu en larmes. J'ai réussi à ouvrir un œil et j'ai vu Jonathan lui tapoter maladroitement l'épaule. Bien que n'y voyant pas très clair, j'ai immédiatement trouvé qu'ils allaient bien ensemble.

— Je suis désolée, Jonathan.

— L'essentiel, c'est qu'il va se rétablir.

J'ai vu Claire hocher la tête.

— Oh ! Alfie, a-t-elle dit en tendant la main pour me caresser à travers les barreaux de la cage. On dirait que tu es un chat très aimé.

J'ai su que j'allais très vite me rétablir parce que j'étais aimé et que j'aimais chacun d'eux. De plus, j'avais un nouveau plan, espérons-le beaucoup moins dangereux, pour m'occuper !

35

Le jour de mon retour à la maison était enfin arrivé. J'étais très excité. Plus de cage. Elle n'était certes pas inconfortable, mais ce n'était pas le *Ritz* non plus. Et, bien qu'on m'eût encouragé à faire de l'exercice, je devais éviter de sortir.

J'allais reprendre ma vie, recommencer à parcourir Edgar Road, je ne pourrais peut-être plus sauter sur les clôtures comme avant, mais je pourrais au moins essayer. J'étais impatient de revoir toutes mes familles et Tigresse aussi, mais je me demandais si elles étaient furieuses contre moi maintenant qu'elles avaient découvert qu'elles n'étaient pas les seules à s'occuper de moi. J'espérais de tout cœur que non.

Claire est venue me chercher et s'est évertuée avec le véto à me faire entrer, contre mon gré, dans ma caisse de transport. J'ai miaulé, pas parce que j'avais mal, mais pour protester, car je trouvais cela très dégradant d'être ainsi confiné dans une caisse.

— Il faudrait vraiment qu'il reste toujours dans la même maison pendant quelque temps. Il faut l'encourager à prendre un peu d'exercice, mais doucement. Il devrait s'en rendre compte lui-même. Il doit en tout cas rester à l'intérieur sans sortir pendant encore au moins une semaine et j'aimerais que vous me le rameniez ensuite pour que je puisse l'ausculter de nouveau, a dit le véto.

J'ai essayé de lui lancer un regard mauvais depuis ma caisse de transport. Je n'avais aucune envie d'être enfermé et ce n'était pas du tout ce que j'avais prévu.

— Ne vous inquiétez pas. Je vais bien m'occuper de lui.

Jonathan nous attendait à l'accueil. J'étais ravi de le revoir.

— Il faut que je règle la note, a dit Claire quand la dame de l'accueil lui a tendu la facture.

— Ben, dis donc ! a dit Jonathan en laissant échapper un sifflement. Ce n'est vraiment pas donné !

— En fait, puisque c'est aussi ton chat, tu souhaites peut-être participer ? a dit Claire.

Jonathan avait l'air choqué, mais Claire s'est mise à rire.

— Je plaisante. J'ai une assurance.

— Tu as une assurance ? a demandé Jonathan, un peu incrédule, comme s'il n'avait jamais entendu parler de ça.

— Oui, Alfie est mon chat et je l'ai naturellement assuré.

— Ça ne m'a jamais traversé l'esprit, a dit Jonathan.

— Voilà qui ne me surprend guère, a rétorqué Claire. Je parie que tu oublies de lui laisser à manger quand tu pars plusieurs jours !

Jonathan a eu la bonne grâce d'avoir l'air un peu honteux parce qu'il oubliait, en effet.

— Avec quatre maisons, je suis sûr qu'il n'a jamais faim.

— Là n'est pas la question. Bon, allons-y, si on ne veut pas arriver en retard à la fête.

C'était à mon tour d'être indigné. Ils allaient à une fête le jour de mon retour ?

Jonathan a garé sa voiture devant sa maison et il m'a porté, dans ma caisse de transport, à l'intérieur. Claire nous a suivis. Ils s'étaient chamaillés à propos de moi durant tout le trajet, et j'étais maintenant sûr qu'ils n'allaient pas tarder à se rendre compte qu'ils étaient faits l'un pour l'autre. Ça ne sautait peut-être pas aux yeux parce qu'ils se disputaient et que Claire sortait tout juste d'une relation instable, mais, pour moi, il était clair qu'entre eux le courant passait. Leurs disputes étaient différentes : plus douces et pas agressives. De plus, Claire savait lui donner la réplique.

Elle n'était pas timide en sa présence. Elle se comportait comme la Claire qu'elle aurait toujours dû être. Appelez ça une intuition de chat, si vous voulez, mais je savais au fond de mon cœur que ces deux-là pourraient s'aimer autant que je les aimais, moi.

J'étais de plus en plus heureux. Surtout à l'idée des crevettes et de la couverture en cachemire qui m'attendaient… Je me réjouissais aussi de revoir Aleksy, de jouer avec lui, de voir comment se portaient Polly, Henry et les deux Thomasz, sans oublier mon adorable Franceska. Comme ils m'avaient manqué ! Je n'ai pas pu m'empêcher de sourire en attendant de pouvoir enfin sortir de ma caisse de transport.

Jonathan m'a posé dans l'entrée et a ouvert la porte. Il m'a ensuite pris dans ses bras et m'a porté jusqu'à la cuisine. J'étais toujours aussi vexé à l'idée qu'ils me laissent tout seul pour aller à une fête, mais, quand la porte s'est ouverte, j'ai laissé échapper un miaulement de surprise.

— Alfie ! a crié Aleksy en se précipitant vers moi.

Il s'est arrêté devant Jonathan. Il y avait une bannière colorée punaisée au mur, et Franceska, les deux Thomasz, Matt, Polly et Henry étaient assis à la table de la cuisine. Je n'en revenais pas ! Ces gens-là ne se connaissaient pas et ils étaient tous réunis dans la maison de Jonathan.

— Tu as été démasqué, Alfie, a dit Matt en riant.

— Ça veut dire quoi « démasqué » ? a demandé Aleksy.

— On a découvert qu'il a quatre maisons, a expliqué Franceska. Bon, il ne vit pas avec nous, mais il nous rend visite.

— Oui, Alfie, on t'a cherché. Je dessine toi, mais on t'a pas trouvé et on est très inquiets. Ensuite, ils ont dit que tu es blessé.

Aleksy semblait au bord des larmes.

— Tiens, Aleksy, si tu fais doucement, tu peux le porter.

Jonathan m'a tendu à Aleksy, qui a déposé un baiser sur ma tête. Claire nous avait rejoints. C'était si drôle de voir toutes mes familles réunies. Je les ai observées tout en me lovant contre Aleksy. Polly était plus belle que jamais et avait bien meilleure mine.

Elle faisait sauter Henry sur ses genoux. Thomasz

et Matt n'avaient pas changé. Franceska avait la situation sous contrôle, comme toujours, et le petit Thomasz semblait avoir grandi pendant mon absence. Quant à Claire, elle était superbe ! Je l'avais vue chez le véto, mais je n'avais pas eu le loisir de la regarder comme il faut. Elle s'épanouissait de nouveau. Elle avait pris un peu de poids, détail qui ne m'échappait jamais, et elle avait les joues plus colorées. Elle était magnifique, tout comme Jonathan.

Jonathan m'a repris et m'a déposé dans le panier qui se trouvait chez Claire, d'habitude. Ils ont posé de la nourriture à côté de moi : du saumon et des crevettes, le meilleur repas de la terre !

Ils m'ont tous câliné, cajolé, caressé, et tout le monde m'a donné des présents. On aurait dit que c'était mon anniversaire. Aleksy et Thomasz m'avaient fait des dessins, qui représentaient un chat et une voiture. Les adultes avaient dit aux enfants que j'avais été renversé par une voiture en traversant la route. Ils ne voulaient pas les stresser davantage en leur expliquant ce qui s'était réellement passé. Ça m'a quand même légèrement contrarié. J'avais parcouru la moitié de Londres en évitant les véhicules, bon sang ! Je connaissais le code du bon piéton !

— Tu dois faire attention en traversant la route, m'a dit Aleksy, et Jonathan m'a fait un clin d'œil.

— Il reste encore un cadeau, a-t-il dit.

— Il était temps, a ajouté Claire.

Elle a enlevé doucement mon collier. Elle a ôté la plaque qui me rattachait à Margaret. Elle en a brandi une nouvelle et tout le monde a applaudi.

— Alfie, sur cette plaque, il y a nos noms et tous nos numéros de téléphone. Ceux de tes quatre familles. On ne te perdra plus jamais.

Les gens disent que les chats ne pleurent pas, mais je vous promets que j'avais les yeux noyés de larmes.

J'étais épuisé, mais ils étaient gentils et doux avec moi ; ils me disaient tous combien je leur avais manqué. Ça me faisait tellement chaud au cœur que j'avais l'impression d'être bouillant. Voir mes quatre familles réunies dans la maison de Jonathan... Je n'aurais pas pu rêver mieux.

Ils ont décidé de se relayer auprès de moi. J'allais rester chez Claire pendant ma convalescence, et elle avait pris quelques jours de congé pour me soigner. Jonathan a dit qu'il avait lui aussi posé des jours pour s'occuper de moi. Apparemment, il fallait que je prenne régulièrement des médicaments, et j'avais besoin de beaucoup de calme.

— Il y a un joli chat qui avait l'air de te chercher, a dit Claire. Celui qui habite à côté de chez moi.

Je me suis demandé si Tigresse allait aussi me rendre visite. J'aurais ainsi retrouvé tous mes amis et toutes mes familles.

Claire a promis à Aleksy qu'il pourrait venir me voir après l'école, et Polly s'est proposé de me garder avec Henry quand Claire devrait aller faire des courses. Puis, tout le monde m'a embrassé, m'a caressé doucement, et ils sont tous partis.

Jonathan m'a transporté jusque chez Claire et m'a installé au rez-de-chaussée. Ils ont dit que je ne pouvais pas encore monter les escaliers et, comme je me sentais plutôt faible, j'ai pensé qu'ils avaient sûrement raison.

— Tu veux boire quelque chose ? a demandé Claire à Jonathan, tandis que je me mettais en boule pour faire un somme.

— Avec plaisir. Et si on commandait quelque chose à manger ? Je meurs de faim. Enfin, si tu veux bien de ma compagnie, a dit Jonathan.

Je suis pratiquement sûr qu'il a un peu rougi.

— Bonne idée ! Je suis tellement contente qu'il soit à la maison, a-t-elle répondu en me regardant.

— L'une de ses maisons, en tout cas, a répliqué Jonathan, et ils ont ri.

Mon cœur a bondi de joie quand j'ai perçu dans leur voix quelque chose que je ressentais souvent : l'amour. Ils ne le savaient peut-être pas encore, mais moi, j'en étais sûr. J'étais un chat très intelligent.

Épilogue

J'étais avec Tigresse dans son jardin. Elle essayait de faire plus d'exercice avec moi, car elle avait enfin reconnu qu'elle devait perdre un peu de poids. Elle a dit que quand je n'étais pas là, elle avait mangé et n'avait pas beaucoup bougé parce qu'elle se languissait de moi, ce qui était gentil, mais je la soupçonnais d'avoir été un peu paresseuse aussi, car c'était dans sa nature.

Beaucoup de mois s'étaient écoulés depuis l'*incident,* comme on l'appelait désormais. Bien que mon plan fût dangereux et qu'il eût failli me coûter la vie (je ne m'étais pas rendu compte que j'avais frôlé la mort), le résultat avait dépassé toutes mes espérances. Au fil des saisons, j'avais recouvré mes forces.

C'était maintenant l'été. Le soleil brillait, les soirées étaient claires et chaudes. J'avais survécu à tout : à l'attaque de Joe, au long hiver qui avait suivi, et durant lequel je n'étais guère sorti par crainte du froid.

J'avais fini par me forcer à mettre le museau dehors et j'avais repris mes vieilles habitudes, rendant visite à toutes mes maisons : celle de Jonathan, les appartements du numéro 22, et bien sûr la maison de Claire. Après ma convalescence, j'étais redevenu un chat de pas-de-porte, mais tout était différent.

Franceska, Thomasz et les garçons avaient déménagé et quitté Edgar Road. Heureusement, ils étaient toujours dans le même quartier, dans une rue voisine, et vivaient dans un appartement plus grand. Je ne leur rendais pas visite très souvent, car c'était quand même une sacrée trotte, mais ils venaient régulièrement chez Polly et Matt, ou même chez Jonathan et Claire. Visiblement, toutes ces familles étaient devenues amies grâce à moi ; ça me rendait très heureux. Ils s'appréciaient tous comme je l'avais toujours souhaité.

Thomasz était désormais l'associé du patron du restaurant et s'en sortait très bien. Aleksy adorait son école et parlait mieux anglais que ses parents.

Thomasz le petit parlait plus et pratiquement sans accent. Franceska travaillait dans un magasin et elle me rapportait souvent du poisson. Elle disait qu'elle avait de moins en moins le mal du pays.

Polly allait beaucoup mieux et prenait enfin plaisir à être maman. Son ventre s'arrondissait de jour en jour, ce qui signifiait, m'avait-on dit, qu'elle attendait un bébé, un nouveau camarade de jeu pour moi ! Henry marchait désormais et s'amusait souvent à me tirer la queue. Comme ce n'était pas méchamment, j'essayais de ne pas m'en offusquer. Il y avait eu du changement chez eux aussi puisqu'ils vivaient dans une nouvelle maison, qui se trouvait juste en face de chez Jonathan. Ils étaient beaucoup plus près. La maison qu'ils habitaient n'était pas aussi grande que celle de Jonathan, mais elle était parfaite pour une famille.

Claire et moi vivions à plein temps au numéro 46 d'Edgar Road, avec Jonathan. Mon plan avait marché : ils étaient ensemble, mais ils avaient mis le temps ! C'était une excellente idée que j'avais eue, même s'ils s'étaient débrouillés presque tout seuls, car je n'avais pratiquement pas eu à intervenir. Ils étaient si heureux ensemble ! Certes, il arrivait encore que Jonathan soit un peu bougon, et Claire ne manquait jamais de le taquiner à ce propos. Elle n'avait pas peur de lui et il la traitait comme une princesse (et moi, comme un prince). Tasha venait souvent, et ils invitaient d'autres amis aussi, ainsi que la famille de Franceska, et Polly et Matt. La maison était animée et pleine comme elle aurait toujours dû l'être.

Claire et Jonathan me surnommaient le « chat faiseur de miracles », parce qu'apparemment j'avais accompli beaucoup de choses. J'allais prendre la grosse tête à force de les entendre parler ainsi. On aurait dit que j'avais sauvé la planète, alors que je m'étais contenté d'aider quatre familles. Visiblement, c'était énorme, pour eux, et ma vie en était d'autant plus riche et plus épanouissante.

Nous avions trouvé un mode de vie qui convenait à tout le monde et j'avais vraiment de quoi être reconnaissant : j'avais des amis, une famille et j'étais entouré d'amour. Mes jours d'errance dans les rues de Londres semblaient très loin, si loin que j'avais parfois l'impression que cette vie appartenait à un autre chat. Pourtant, j'avais bien connu cette peur, j'avais dû éviter les voitures, les chiens, les chats sauvages, j'avais dû chercher à manger et des abris pour me protéger. Le passé m'accompagnerait toujours.

Les larmes, la peur et la façon dont mes familles

avaient eu besoin de moi faisaient partie intégrante de mon être. Je n'oublierais jamais Joe et ce qu'il m'avait fait, parce que, si j'avais payé le prix fort, j'avais été gagnant, au final. Je n'oublierais jamais le jour où Aleksy était revenu de l'école avec un diplôme parce qu'il avait écrit une rédaction sur son meilleur ami, qui n'était autre que moi.

Je n'oublierais jamais non plus le jour où Franceska avait dit qu'elle avait trouvé les premiers temps très difficiles en Angleterre, mais que j'avais égayé sa vie. Quant à Claire, elle disait que je l'avais sauvée, et Polly affirmait la même chose. Jonathan prétendait en riant que j'avais fait de lui un amateur de chats et avait expliqué à Claire que je l'avais sauvé de l'horrible Philippa. Je n'oublierais jamais leurs paroles ni le long périple qui m'avait amené jusqu'ici, et j'espérais que j'avais fait le plus dur et que je pouvais désormais me reposer.

En effet, j'étais le plus heureux des chats quand je pouvais m'asseoir sur les genoux de mes maîtres. J'avais désormais le nombre idéal de genoux à ma disposition. La nuit, je sortais parfois pour regarder les étoiles. Je scrutais le ciel, espérant qu'Agnès et Margaret étaient là quelque part, qu'elles me faisaient des clins d'œil, parce que, si j'avais apparemment accompli beaucoup de choses depuis que je les avais perdues, c'était grâce à l'amour qu'elles m'avaient donné et à tout ce qu'elles m'avaient appris. C'était grâce à elle et à tout ce que j'avais enduré que j'étais un chat meilleur aujourd'hui. Et c'est ainsi qu'on avançait dans la vie, avais-je appris.

Remerciements

J'ai pris grand plaisir à écrire ce livre grâce à l'équipe avec laquelle j'ai eu le privilège de travailler. Je tiens tout particulièrement à remercier mon éditrice, Helen Bolton ; ce projet a été si excitant ! Vos merveilleux conseils m'ont inspirée et encouragée pour l'écriture de ce premier livre. Toute l'équipe d'Avon était si enthousiaste qu'elle m'a donné l'élan nécessaire pour écrire. J'ai aussi la chance d'avoir des agents fantastiques ; alors, un grand merci à Kate Burke et à tout le monde chez Diane Banks Associates.

Ma famille a été d'un grand soutien, veillant à ce que j'aie toujours quelque chose à manger et me laissant écrire jusque tard dans la nuit.
Mes merveilleux amis m'ont permis de garder les pieds sur terre, tandis que je leur faisais part de mes idées. J'ai le sentiment que vous avez tous joué un rôle dans la concrétisation de ce projet.

Je ne peux pas conclure sans parler des chats qui m'ont accompagnée durant toute ma vie. Cette histoire est pour vous tous ; vous avez été ma famille, mes amis, mon inspiration et vous m'avez souvent soutenue. Vous êtes bien plus que des animaux de compagnie.

Composition et mise en pages réalisées
par Text'oh! – 39100 Dole

Achevé d'imprimer par N.I.I.A.G.
en avril 2016
pour le compte de France Loisirs, Paris

Numéro d'éditeur : 84935
Dépôt légal : avril 2016
Imprimé en Italie